LA RELATION D'AIDE

Éléments de base et guide de perfectionnement

2ᵉ édition

Jean-Luc Hétu

LA RELATION D'AIDE

Éléments de base et guide de perfectionnement

2ᵉ édition

gaëtan morin éditeur

Montréal ▫ Paris ▫ Casablanca

Données de catalogage avant publication (Canada)

Hétu, Jean-Luc, 1944-

La relation d'aide

2ᵉ éd.

Comprend des réf. bibliogr.

ISBN 2-89105-519-5

1. Comportement d'aide. 2. Counseling. 3. Psychothérapie. I. Titre.

BF637.H4H48 1994   158'.3   C94-096937-5

Montréal, Gaëtan Morin Éditeur ltée
171, boul. de Mortagne, Boucherville (Québec), Canada, J4B 6G4, Tél. : (514) 449-2369
Paris, Gaëtan Morin Éditeur, Europe
20, rue des Grands Augustins, 75006 Paris, France, Tél. : 33 (1) 40.51.09.17
Casablanca, Gaëtan Morin Éditeur – Maghreb S.A.
Rond-point des sports, angle rue Point du jour, Racine, 20 000 Casablanca, Maroc, Tél. : 212 (2) 49.02.17

Révision linguistique : Ghislaine Archambault

Imprimé au Canada

Dépôt légal 3ᵉ trimestre 1994 – Bibliothèque nationale du Québec – Bibliothèque nationale du Canada

2 3 4 5 6 7 8 9 0 1   G M E 9 4   4 3 2 1 0 9 8 7 6 5

AVANT-PROPOS

Les trois premières versions de cet ouvrage ont permis à vingt-cinq mille personnes de s'initier à la pratique de la relation d'aide, ou d'accroître leur efficacité comme aidants semi-professionnels.

En voici une quatrième version mise à jour à partir des suggestions de différents utilisateurs. J'y ai apporté à la fois un meilleur éclairage théorique, des exemples et des exercices supplémentaires, ainsi que des précisions additionnelles sur les enjeux de l'intervention. J'ai de plus ajouté à la fin un chapitre à l'intention des formateurs.

Je suis convaincu que cette nouvelle édition y a gagné en clarté et en précision, à la fois sur le plan de l'éclairage théorique et sur le plan des indications pratiques. À tous et à toutes, je souhaite une utilisation agréable et profitable de ce petit guide de formation.

Jean-Luc Hétu
Le 1er mai 1994

TABLE DES MATIÈRES

CHAPITRE 1

CE QU'AIDER VEUT DIRE

De la naissance à la mort, nous sommes des êtres complexes, et les situations que nous avons à vivre le sont parfois aussi. Pensons à certains problèmes de couple, à la question de l'encadrement des adolescents, à l'attitude à prendre face à des parents âgés en perte d'autonomie et qui insistent pour demeurer dans leur logement, etc.

Il arrive souvent par ailleurs que les décisions que nous prenons, ou que nous négligeons de prendre, déterminent dans une certaine mesure la qualité de notre vie pour des périodes plus ou moins longues.

La pertinence de ces décisions dépend en partie des informations dont nous disposons et en partie également d'autres facteurs comme notre jugement et notre flexibilité mentale. À partir des mêmes informations, en effet, certains sujets prennent de meilleures décisions que d'autres.

Certaines de ces informations sont objectives, c'est-à-dire qu'elles portent sur des faits, des dates, des sommes d'argent, etc. Mais les informations subjectives jouent d'habitude un rôle majeur dans nos prises de décision. Et ces informations d'ordre subjectif, on les obtient en se posant les questions suivantes : « Comment est-ce que je me sens face à la situation ? Pourquoi suis-je porté à réagir de cette façon ? Comment vais-je me sentir si j'opte pour tel ou tel scénario ? »

Les décisions que nous prenons sont ainsi déterminées par les perceptions que nous avons de nous-mêmes et de notre environnement. Nous agissons en effet en bonne partie non pas en nous basant sur la réalité telle qu'elle est, mais sur la perception subjective que nous en avons.

Cette perception peut être plus ou moins valable, et compromettre dès lors la décision qui en découlera. Une personne qui se connaît mal, qui a peu accès à ses états intérieurs et qui a une perception déformée de son environnement prendra évidemment des décisions peu susceptibles de lui convenir.

C'est ici que la question de la relation d'aide entre en jeu. Il arrive souvent que nous intervenions auprès d'une personne qui a une décision délicate à prendre, ou qui doit composer avec un événement difficile. Cette intervention se fait pour le meilleur et pour le pire, étant parfois aidante, parfois nuisible et parfois simplement inefficace.

Notre intervention est *aidante* lorsqu'elle facilite l'accès du sujet aux informations que constituent ses sentiments, et qu'elle lui permet d'en retirer une compréhension qui débouchera sur un comportement éclairé.

Notre intervention est *nuisible* lorsqu'elle concourt à brouiller les informations et les perceptions du sujet, et elle est *inefficace* lorsque celui-ci ne voit pas plus clair ou ne se sent pas mieux après notre intervention qu'avant.

Or, il est possible d'augmenter l'efficacité de notre implication à l'endroit des personnes qui se confient à nous, et par voie de conséquence, de contribuer à augmenter leur qualité de vie. Cela se fera par la pratique éclairée de la relation d'aide.

UN COUP D'ŒIL SUR L'AIDANT

Pour cerner le rôle de l'aidant, on parle souvent d'écoute active. Le verbe *écouter* vient du vieux français *escolter* et du latin *auscultare*, qui veut dire « écouter avec attention », tandis qu'*audire* peut signifier « écouter distraitement ».

Un bon aidant n'est donc pas un simple *auditeur*, mais il est un *auscultant*, c'est-à-dire, selon le dictionnaire, quelqu'un qui « explore les bruits de l'organisme » de son aidé. (Nous parlons bien entendu de l'organisme psychique.)

Le dictionnaire nous aide encore plus, car au mot *écoute*, il indique comme vieux sens : « guetteur, sentinelle ». Pratiquer l'écoute active, c'est donc se situer dans un rôle d'éclaireur et être aux aguets. Le mot *scout* a la même origine : la mission de l'éclaireur est d'observer attentivement le terrain où il est envoyé en reconnaissance.

C'est ce qui amènera Carl Rogers, le célèbre théoricien et praticien de la relation d'aide, à déclarer que l'empathie, c'est-à-dire l'écoute attentive, est « un processus extrêmement actif, une intense exploration de la forme et de la saveur des sentiments de l'aidé » (Rogers et Sanford, 1985, p. 1379).

Cette réflexion nous ramène à l'image de l'auscultant qui « explore les bruits de l'organisme ». Mais pour être en mesure d'explorer, il faut avoir une idée de ce que l'on cherche, ou du moins de l'endroit où il faut regarder pour avoir une chance de trouver quelque chose.

Le médecin sait où placer son stéthoscope pour recueillir les informations pertinentes. Ausculter, c'est explorer, mais l'exploration n'est pas une activité qui se pratique au hasard. Le *Petit Robert* dit qu'explorer, c'est « parcourir en étudiant avec soin », et qu'étudier, c'est « chercher à connaître et à comprendre ».

Combs et Avila (1985, p. 134) décrivent ainsi l'écoute aidante comme « une recherche active de sens ». Aider quelqu'un, c'est plus que se borner à l'écouter, fût-ce attentivement, c'est plus que « le laisser parler ». L'aidé a souvent besoin qu'on le laisse parler, mais il s'attend à plus de la part de son aidant.

En effet, l'aidant n'est pas seulement quelqu'un qui écoute et qui cherche à comprendre, il est aussi quelqu'un qui intervient. Le *Petit Robert* définit l'intervention comme le fait de « prendre part à une affaire en cours dans le but d'influer sur son déroulement ». Le psychologue Carkhuff (1983) dit en ce sens qu'une intervention est à la fois une réponse et une initiative. Elle est une *réponse* à une situation concrète vécue par une personne confrontée à des besoins, et elle est une *initiative* visant à contribuer à répondre à ces besoins.

Un bon aidant respecte la liberté de son aidé, mais il cherche néanmoins à avoir un impact sur celui-ci. L'aidé ne veut pas nécessairement qu'on lui dise quoi faire ni comment penser, mais il veut que quelque chose se passe, il veut que la personne à laquelle il se confie intervienne efficacement pour l'aider à avancer vers la solution de son problème.

L'aidé se présente en effet avec différents besoins, que l'on peut réduire à trois. Il a d'abord besoin de se dire, de s'exprimer, de prendre contact avec les sentiments qui l'habitent et de laisser sortir la vapeur. Il a ensuite besoin de comprendre ce qui lui arrive et pourquoi il réagit comme il le fait. Et il a enfin besoin de se prendre en charge, c'est-à-dire de mobiliser ses ressources pour modifier son comportement problématique ou pour changer le cours de sa vie.

Cela permet d'en arriver à une définition plus précise et plus complète de la relation d'aide. Aider quelqu'un, c'est s'engager avec lui dans une séquence d'interactions verbales et non verbales, dans le but de lui faciliter l'expression, la compréhension et la prise en charge de son vécu.

TROIS PRÉAMBULES

Avant d'aborder la dynamique même de la relation d'aide, formulons quelques réflexions dans le but de préciser l'état d'esprit dans lequel il convient d'aborder cette expérience.

L'impossibilité de refaire les gens

Notre première réflexion a trait au fait qu'il n'y a aucun déshonneur à se voir incapable de refaire les gens. Même après des années d'efforts, les thérapeutes les plus expérimentés réussissent rarement ce tour de force.

L'aidant qui se fixerait comme objectif d'amener tous ses aidés à régler leurs problèmes risquerait de fréquents échecs, et donc autant d'éraflures à son image de soi. Pour qui possède un brin de philosophie, par contre, cette impuissance relative à éviter à autrui la douleur et l'échec sera perçue comme faisant partie du mystère de la condition humaine. Une telle personne sera ainsi en mesure de continuer à s'impliquer dans le rôle d'aidant sans se sentir inadéquate.

Une aide d'appoint

Dans le prolongement de la réflexion ci-dessus, notre deuxième réflexion vise à élargir les perspectives dans lesquelles l'aidant intervient. Dans la grande *thérapie de la vie*, beaucoup d'événements concourent à façonner l'identité de tout un chacun, et à l'amener à mobiliser le meilleur de lui-même, au fil des requêtes du quotidien. Pensons au défi de la durée du couple, à l'apprentissage du rôle de parent au fil de la croissance des enfants, aux défis du travail, à l'accompagnement des parents âgés jusqu'à leur mort, à la gestion des inévitables crises de la vie…

Cette *école de la vie* permet de se découvrir et de déployer ses ressources pour naviguer au mieux, et ce, la plupart du temps, sans l'intervention de thérapeutes professionnels et à partir du soutien des aidants naturels que sont les membres de la famille et les amis.

Ces considérations permettent à l'aidant de se percevoir comme une ressource d'appoint, passagère et limitée, et non pas comme l'unique responsable de l'accompagnement du sujet.

Des perspectives encourageantes

La première réflexion portait sur l'impossibilité de refaire les gens. La troisième ouvre des perspectives plus encourageantes. Dans la relation d'aide, il arrive souvent qu'un petit coup de pouce puisse aider beaucoup. Il suffit parfois d'un simple mot qui vient mettre en lumière un sentiment demeuré jusqu'ici non reconnu pour que le paysage se clarifie soudainement, et que l'idée de l'action à entreprendre émerge tout naturellement.

Les choses ne sont évidemment pas toujours aussi simples, et la période d'exploration peut se prolonger laborieusement. Mais, encore ici, chaque coup de pouce peut s'avérer fort précieux pour qui regarde les choses avec un certain recul.

Cette considération est particulièrement importante pour ceux et celles qui pratiquent la relation d'aide informelle. Contrairement aux thérapeutes professionnels, qui revoient régulièrement leurs aidés à raison d'une heure par semaine, les aidants informels ou semi-formels interviennent souvent *sur le terrain*, dans une chambre de centre d'accueil ou d'hôpital, dans une cafétéria ou au téléphone, quand ce n'est pas dans un corridor...

Dans ces conditions où le suivi est aléatoire, il importe de demeurer conscients du fait que nous ne sommes pas les seules personnes susceptibles d'intervenir auprès de ces aidés. Ceux-ci disposent normalement d'un réseau naturel de soutien, et ils sont souvent en contact avec d'autres intervenants. Au gré des événements, ils interagiront donc avec d'autres aidants qui leur feront faire un autre bout de chemin. Et si nous avons su être attentifs et actifs, certaines de nos interventions contribueront à faire bouger des choses en eux, même si nous devions ne plus nous revoir.

Ajoutons enfin que le sentiment d'impuissance que nous pouvons éprouver devant la misère d'autrui se trouve souvent compensé par la gratification d'être un témoin privilégié de ses inquiétudes et de ses espoirs, ainsi que du courage qu'il manifeste souvent face à sa situation.

Lorsqu'une personne nous invite à nous situer vis-à-vis d'elle dans le rôle d'aidant, elle se prépare souvent à nous faire des confidences qu'elle n'a faites à personne jusqu'ici. Elle se prépare, de plus, à paraître devant nous dans sa vulnérabilité, fût-ce au prix de résistances compréhensibles. Ces moments de vérité sont un privilège qui nous est accordé. C'est à nous de le recevoir avec respect et d'y réagir avec le meilleur de ce que nous sommes.

UN EXEMPLE D'ENTREVUE SPONTANÉE : *LE SECRET DE LA BAGUE*

Nous terminons ce chapitre avec une illustration du phénomène de la relation d'aide telle qu'elle survient souvent spontanément. Voici un extrait du rapport de l'aidante concernée :

« En centre d'accueil depuis onze ans, Paulette a toujours été dure et méfiante à l'endroit du personnel, et dans une solitude presque complète. Atteinte d'un cancer des os, elle est très souffrante et elle sait qu'elle va mourir.

« À travers ces années, nous avons établi une relation amicale. Un soir où je l'installe pour la nuit, elle me repousse en disant : "Je ne veux pas que tu me touches." Puis elle éclate en sanglots. Je respecte son désir et, quand elle se calme, je lui demande :

— Est-ce que tes os font mal quand je te touche ?

— C'est en dedans que ça fait mal.

— Je comprends ta douleur. Ça m'arrive d'avoir mal en dedans, moi aussi. Est-ce qu'il y a quelque chose qui t'est pénible quand je te touche ?

(À ce moment, elle retire une bague qu'elle portait à son doigt, serre sa main sur la bague comme pour la briser, puis me la remet.)

— Paulette, lui dis-je, j'ai le sentiment que cette bague te rappelle un souvenir douloureux. *(Elle me regarde longuement et regarde en silence la bague dans ma main.)* Elle est pourtant très jolie. Il y a quelque chose d'écrit dedans. C'est usé par le temps. Je lis *Je t'aime*, je crois.

(Paulette se remet à pleurer, mais doucement, cette fois.)

— Ça fait très longtemps. Le bon Dieu ne me pardonnera pas.

— Es-tu sûre qu'il ne te pardonnera pas ? Le bon Dieu est aussi plein d'amour.

— Tu penses vraiment ? Quand j'allais à l'école, j'avais une amie que j'aimais beaucoup. On ne s'aimait pas comme les autres filles. *(Paulette s'est remise à hésiter.)*

— Vous vous aimiez d'un amour différent, comme une femme aime un homme ?

— Oui, c'est cela. Elle m'a donné cette bague et on ne s'est plus jamais revues. Je ne comprenais pas pourquoi j'étais attirée par les femmes. Je vais mourir bientôt et je ne suis toujours pas guérie. Je ne me suis jamais permis de vivre une vraie amitié, de peur d'être touchée et de me trahir.

— Je pense que tu peux maintenant te permettre d'aimer librement ceux qui t'entourent et d'accepter qu'on puisse t'aimer. Le bon Dieu a dit : "Qui n'a pas de péché lui lance la première pierre." *(Nous nous mettons à rire.)*

« Depuis, Paulette se laisse installer confortablement par tous les membres du personnel et elle est moins souffrante. On a même réduit sa médication. Elle porte de nouveau la bague à son doigt. »

Cet exemple montre bien comment une relation d'aide *situationnelle* ou *informelle*, menée par une aidante non professionnelle mais initiée à la relation d'aide et capable d'intervenir avec délicatesse et doigté, peut avoir un effet important et durable sur la qualité de vie de l'aidée. Nous y reviendrons.

CHAPITRE **2**

UNE EXPLORATION DES TYPES D'INTERVENTION

L e présent chapitre contient un exercice qui peut être fait individuellement, ou en partie individuellement et en partie en groupe. Cet exercice poursuit trois objectifs :

— habituer l'aidant à distinguer entre différents types d'intervention ;

— l'amener à s'interroger sur la pertinence respective de ceux-ci ;

— lui donner une idée sommaire de son propre style.

Un quatrième objectif viendra s'ajouter plus loin, soit l'acquisition de l'habileté à établir un diagnostic.

Le lecteur qui ne désire pas effectuer cet exercice peut passer tout de suite à la page 56, où sont définis les huit principaux types d'intervention, et ensuite à la page 23.

DÉMARCHE

Première étape (individuellement)

Les pages 15 et suivantes présentent les premières paroles prononcées par huit personnes qui s'engagent dans une relation d'aide. Dans chaque cas, il s'agit de choisir, parmi neuf interventions, celle qui semble la plus adéquate et d'inscrire son numéro sur la première ligne de la grille de la page 13 (ligne indiquée par une flèche). Ne choisir qu'une seule réponse par cas, même si on hésite entre deux.

Deuxième étape (en groupe)

Lorsque l'exercice se fait aussi en groupe, on revient au premier cas et on décrit en quelques mots ce que l'aidant fait ou essaie de faire dans chacune des neuf interventions.

Le formateur anime l'échange et compare, pour chaque intervention, la définition qui est donnée par le groupe et celle qui est présentée à la page 56. (Ne pas se reporter tout de suite à cette page.)

Les participants écrivent le nom de l'intervention dans l'espace prévu à cette fin dans leur grille, puis le numéro de l'intervention concernée dans la colonne du premier cas, comme dans la figure 1.

Figure 1   L'identification des interventions

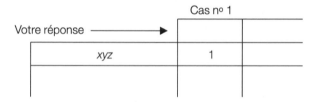

On s'interroge ensuite brièvement sur la valeur de ce type d'intervention : est-il utile, y a-t-il des cas où il peut être contre-indiqué et pourquoi ?...

On passe ensuite à la deuxième réponse du premier cas, on essaie d'identifier l'intervention, puis on l'apprécie brièvement, etc.

Troisième étape (individuellement)

Les huit types d'intervention sont maintenant désignés et sommairement définis et appréciés. Chaque participant, muni de sa grille, se reporte au deuxième cas et essaie de déterminer à quel type d'intervention correspond chacune des neuf réponses qui figurent sur cette page, en inscrivant le type de l'intervention dans la rangée appropriée, comme le montre la figure 2.

Figure 2   Premier exemple

		Cas n° 2
Votre réponse ⟶		
xyz	1	2
uvw	2	
rst	3	1

Dans cet exemple, l'aidant a jugé que la première réponse du cas n° 2 était une intervention de type *rst* et que la deuxième réponse était de type *xyz*.

Quatrième étape (en groupe)

Lorsque tous les participants (ou la majorité d'entre eux) ont terminé cette tâche, on vérifie si leurs réponses correspondent à celles qui figurent dans la grille de la page 189 (annexe A). On peut aussi évaluer brièvement au passage la pertinence de chaque réponse.

Cinquième étape (individuellement)

Enfin, une fois qu'on est en présence de la grille personnelle corrigée à partir de celle de la page 189 (annexe A), chaque participant encercle dans chaque colonne de sa grille la réponse qu'il avait choisie pour ce cas-là, comme dans la figure 3.

Si plusieurs réponses encerclées se trouvent sur une même ligne, cela renseigne l'aidant sur le type d'intervention qu'il est porté à privilégier. Les réflexions contenues dans le reste de l'ouvrage lui permettront de critiquer son style personnel et de le modifier au besoin.

Figure 3   Deuxième exemple

	Cas nº 1	
Votre réponse ⟶	3	
xyz	1	
uvw	2	
rst	(3)	

On trouvera ci-dessous la grille personnelle à utiliser, qu'il faut détacher.

Cas n° 1	Cas n° 2	Cas n° 3	Cas n° 4	Cas n° 5	Cas n° 6	Cas n° 7	Cas n° 8

Votre réponse →

Attention : Étant donné qu'il y a neuf interventions à classer dans huit catégories, l'une de ces huit catégories comporte nécessairement deux interventions de même type.

CAS N° 1

« Il va falloir que je déménage dans une résidence, un jour. Je me suis mise sur la liste d'attente. Quand ils vont m'appeler, il va falloir que je vende ma maison. Mais je ne me vois pas en train de déménager… »

1. « Ce n'est pas facile de penser à partir… »

2. « Je comprends, mais ça ne vous donne rien de vivre dans le futur. Il faut vivre dans le présent, sans vous tracasser pour rien. »

3. « Avez-vous pensé à prendre contact avec un agent immobilier ? »

4. « Comment vous sentez-vous face à l'idée de déménager ? »

5. « Oh ! ne vous en faites pas. Vous verrez que, le temps venu, vous serez bien contente de ne plus avoir à vous occuper de votre maison. »

6. « Combien de temps ça peut prendre, avant qu'un logement se libère à la résidence ? »

7. « Quitter sa maison, c'est un peu comme si on mourait. Est-ce que c'est ça, le raisonnement que vous faites ? »

8. « Il y a bien des gens qui vivent dans leur logement jusqu'à leur mort. Pourquoi dites-vous que vous allez être obligée de partir ? »

9. « Vous trouvez qu'il n'est pas trop tôt pour vous apprivoiser à l'idée de devoir partir un jour. »

CAS N° 2

« Ma fille qui est divorcée sort avec un homme marié. J'ai toujours fait confiance à son jugement, mais là, je sens qu'il faut que j'intervienne. Je ne peux pas laisser passer ça... »

1. « Jusqu'ici, vous avez respecté sa liberté, mais, cette fois-ci, votre conscience vous demande d'intervenir... »

2. « En effet, il y a des situations comme celle-là où il faut avoir le courage de ses convictions. »

3. « Pensez-vous être la mieux placée pour intervenir, ou est-ce qu'elle a une sœur ou un frère en qui elle a vraiment confiance ? »

4. « Je trouve ça bon que vous m'en parliez. Je suis sûre qu'ensemble on peut trouver une façon de résoudre votre problème. »

5. « Vous devez vous dire que les commandements de Dieu, c'est bon pour tout le monde, et que notre fille reste toujours notre fille. C'est pour ça que vous vous sentez obligée d'intervenir. »

6. « Cette fois-ci, vous vous dites qu'elle ne doit plus avoir tout son jugement... »

7. « Est-ce que vous savez comment ça va, dans le ménage de cet homme-là ? »

8. « Si votre fille était devant vous actuellement, qu'est-ce que vous auriez le goût de lui dire ? »

9. « Vous sentez qu'il faut intervenir, mais, en même temps, vous n'êtes pas tout à fait décidée... »

CAS N° 3

« Quand je me trouve dans un groupe, ce n'est pas long que je me sens mal à l'aise. Avec quelques amis, ça va, je me sens spontané et en confiance. Mais dans un groupe, c'est tout le contraire. Qu'est-ce que je peux faire ? »

1. « As-tu pensé à faire un exercice de détente juste avant ? Par exemple, prendre de grandes respirations et te dire que tout va bien aller ?... »

2. « T'es-tu toujours senti comme ça, ou est-ce que c'est récent ? »

3. « Peux-tu me dire quels sont les risques que tu cours, dans un groupe ? »

4. « Dans le travail que tu envisages, c'est important d'être à l'aise en groupe. N'aie pas peur de foncer et de te faire une place. »

5. « Peux-tu donner un exemple où tu t'es trouvé mal à l'aise dans un groupe, récemment ? »

6. « Est-ce que ça se pourrait que tu tiennes à être toujours bien accepté ? Tu aurais peur d'être rejeté par le groupe si tu ne dis pas la bonne chose ? »

7. « Tu m'as l'air d'un gars en santé. Tu devrais pouvoir te sortir rapidement de ce problème-là. »

8. « Dans un groupe, tu deviens vite mal à l'aise. »

9. « Quand il y a plus de trois ou quatre personnes autour de toi, tu te sens observé, et ça te bloque. »

CAS N° 4

« Ma fille de huit ans a recommencé à mouiller son lit. Je n'aime pas ça. D'autant plus qu'avec mon nouvel emploi je n'ai pas le temps de laver des draps trois ou quatre fois par semaine. »

1. « Ce n'est pas agréable de se retrouver avec un bébé. Il faut lui faire comprendre qu'elle est une grande fille, maintenant. »

2. « Pensez-vous qu'en la réveillant pour l'amener aux toilettes au milieu de la nuit, ça pourrait l'aider ? »

3. « Je verrais ça comme une demande d'attention qu'elle vous fait, vu que vous êtes moins présente à cause de votre travail. Est-ce que ça se peut ? »

4. « C'est probablement un ajustement passager à votre nouveau travail. Ça devrait se passer d'ici quelque temps. Je ne pense pas qu'il y ait de quoi s'inquiéter. »

5. « Vous dites "Je n'aime pas ça". Vous n'aimez pas laver plus de draps, ou vous n'aimez pas constater que votre fille est affectée par votre nouveau travail ? »

6. « Est-ce votre seule fille, ou si vous avez d'autres enfants à la maison ? »

7. « Ce que je comprends, c'est que le comportement de votre fille vous contrarie. »

8. « Est-ce qu'on pourrait regarder de plus près ce qui se passe entre votre fille et vous ? »

9. « Votre nouveau travail, est-ce que ça dérange vos nuits à vous aussi ? »

CAS N° 5

« Mon gendre est concierge à la polyvalente. L'autre jour, il m'apporte dix livres de café qu'il avait sorties de la cuisine des profs. Sur le coup, je n'ai rien dit, mais chaque fois que je vois ce café-là dans l'armoire, je me sens croche. Je me demande ce qu'il va m'apporter la prochaine fois... »

1. « C'est embêtant de refuser un cadeau, même quand c'est un cadeau volé... »

2. « Le jour où il va vous apporter l'auto du directeur, qu'est-ce que vous allez faire ? »

3. « Mais le fait que vous n'ayez rien dit la première fois, ça l'encourageait à continuer. Vous auriez dû réagir dès le début. »

4. « Pourriez-vous trouver une façon de soulager votre conscience, par exemple en donnant une somme équivalente à des gens dans le besoin ? »

5. « Je vous comprends. Je gage que votre gendre vous trouverait scrupuleux si vous lui exprimiez votre malaise. »

6. « Est-ce que votre gendre fait ça avec beaucoup de monde, ou seulement avec vous ? »

7. « C'est comme si votre gendre vous imposait ses valeurs. C'est probablement pour ça que vous vous sentez mal. »

8. « Quand vous dites que vous vous sentez croche de voir ce café-là dans l'armoire, qu'est-ce que vous voulez dire au juste ? »

9. « Vous vous sentez à la merci de son prochain mauvais coup. »

CAS N° 6

« J'ai un fils de trente-six ans qui m'a demandé de l'argent pour s'acheter une auto. Ça fait un an que je lui dis de se chercher du travail. Là, il a fini de toucher le chômage et d'après lui, sans auto, il ne peut pas se trouver de travail. »

1. « J'espère que vous ne vous laisserez pas endormir par ses histoires. S'il veut vraiment travailler, qu'il prenne l'autobus comme tout le monde ! »

2. « Qu'est-ce que vous auriez le goût de lui dire, si vous ne vous reteniez pas ? »

3. « Vous pourriez peut-être vous porter garant d'un emprunt pour lui. Comme ça, ça serait à lui à remettre l'argent. »

4. « Ce n'est pas facile d'avoir un enfant qui ne vous donne pas l'impression de se prendre en main. »

5. « Est-ce que votre fils a un métier ? »

6. « Au fond, vous vous sentez un peu manipulé… »

7. « D'après moi, vous vous sentez encore responsable de lui. C'est pour ça que sa demande vous préoccupe tant. »

8. « Donc, il va l'avoir, son auto ? »

9. « C'est frustrant d'avoir un fils comme ça. »

CAS N° 7

« Je me demande si je ne devrais pas soustraire de mes impôts au fédéral la part qui va aux armements. Mais je n'aime pas l'idée de faire de la prison à mon âge. Parce que c'est sûr que, même si j'étais poursuivi, je refuserais de payer. »

1. « D'après vous, c'est quoi l'âge idéal pour faire de la prison ? »

2. « Je ne suis pas sûr d'aimer votre idée. Les jeunes ont bien besoin de voir leurs aînés respecter la loi. »

3. « Je me demande si votre député fédéral n'aurait pas des suggestions à vous faire. Avez-vous pensé à lui en parler ? »

4. « Quelle somme cela peut-il représenter, à peu près ? »

5. « Votre questionnement m'amène à penser que vous êtes rendu pas mal plus loin que la moyenne des gens dans votre développement moral. »

6. « Comment réagiriez-vous si on vous condamnait à deux mois de prison ? »

7. « Je me retrouve beaucoup dans votre questionnement. Vous savez, vous n'êtes pas le seul à avoir ce problème-là. »

8. « Ce qui vous empêche de passer à l'action, c'est l'idée de vous retrouver derrière les barreaux… »

9. « Savez-vous s'il y a des contribuables qui ont eu des problèmes avec l'impôt pour avoir fait ça ? »

CAS N° 8

« On a un garçon de vingt-deux ans qui est décrocheur et qui vit encore chez nous. Il nous emprunte continuellement de l'argent, il amène ses amis bouffer à la maison et écouter de la grosse musique à n'importe quelle heure... On se demande combien de temps ça va durer... »

1. « Vous avez le goût de le mettre dehors, mais vous n'osez pas trop vous l'avouer. »

2. « C'est frappant comme certains jeunes peuvent être profiteurs ! »

3. « Je gage que c'est la peur de vous sentir coupables qui vous empêche de passer à l'action. »

4. « Savez-vous s'il existe des programmes gouvernementaux pour les raccrocheurs ?

5. « Est-ce que votre fils a déjà manifesté l'intention d'aller vivre en appartement ? »

6. « Même si c'est votre fils, ça finit par être pesant, à la longue... »

7. « Comment vous sentez-vous, actuellement, de me dire tout ça sur lui ? »

8. « Même si c'est votre fils, ça finit par être pesant, à la longue... »

9. « Il est sorti du système, mais il n'a pas encore eu le courage de sortir du nid familial ! »

CHAPITRE **3**

UN MODÈLE
DE LA RELATION D'AIDE

Après des débats qui durent depuis des décennies, on ne s'entend toujours pas sur la nature précise du changement provoqué par la relation d'aide ou la thérapie, ni d'ailleurs sur la durabilité de ce changement (Imber, 1992).

Mais on risque peu de se tromper en disant que la relation d'aide vise des changements à la fois affectifs, cognitifs et comportementaux. L'aidant désire que son aidé soit davantage en contact avec ses émotions, de manière à mieux se comprendre et à être en meilleure posture pour se mobiliser face à sa situation. L'exemple intitulé *Le secret de la bague*, que nous avons vu plus haut, illustre bien cette facilitation du processus de prise de conscience et de changement. Pour s'acquitter de cette tâche, l'aidant doit :

— entendre ce que son aidé lui communique, et ce à travers les distorsions fréquentes du message ;

— comprendre ce qui est entendu, c'est-à-dire dégager le sens de ce qui est communiqué ;

— communiquer cette compréhension à l'aidé.

La compréhension des messages émis par l'aidé se fait en deux étapes. Il faut d'abord saisir le sens de ce que l'aidé exprime en se plaçant dans son univers à lui ou à l'intérieur de sa subjectivité. On parlera alors de compréhension *empathique*. (Nous y reviendrons bientôt.)

Une fois que l'on a saisi le sens de ce que l'aidé exprime tel qu'il le vit dans son univers à lui, on passe au deuxième niveau de compréhension. Il s'agit cette fois d'une saisie plus objective de ce vécu, à partir des connaissances des phénomènes psychologiques tels qu'ils peuvent être vécus par une multitude de personnes se trouvant dans une situation semblable.

À ce niveau, la ressource majeure de l'aidant n'est plus sa sensibilité (comme dans le cas de la compréhension empathique), mais ses connaissances de la psychologie, ou, plus précisément, sa capacité de saisir les différentes facettes de la dynamique de la personnalité humaine. La figure 4 illustre cette dynamique de base de la relation d'aide.

Figure 4   L'empathie et l'interprétation

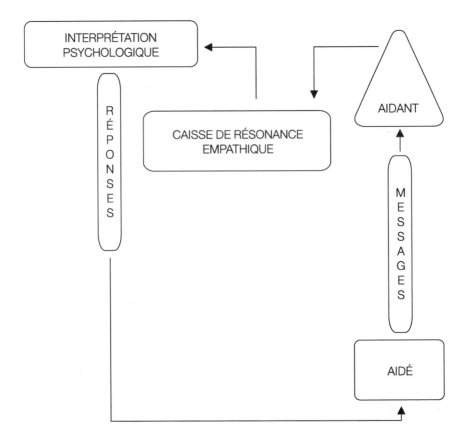

LE PHÉNOMÈNE DE L'EMPATHIE

Revenons à l'empathie, que nous avons définie sommairement comme une *habileté*, c'est-à-dire comme la capacité de saisir le vécu de l'autre en se plaçant dans son univers à lui.

L'empathie possède plusieurs dimensions, impliquant par conséquent différentes *sous-habiletés*. Elle comporte une dimension *affective* : l'aidant doit sentir ce que l'aidé éprouve. Elle comporte également une dimension *cognitive*, l'aidant devant saisir, par inférence ou par intuition, le sens de ce qui est éprouvé par l'aidé, à partir de sa lecture des messages verbaux et non verbaux émis par ce dernier.

L'aidant doit aussi *communiquer* ce qu'il éprouve lorsqu'il se situe à l'intérieur de l'univers de l'aidé, ce qui se fait par la formulation des reflets. Les trois sous-habiletés constituant l'empathie sont donc de sentir, de comprendre ce qu'on a senti et de communiquer ce qu'on a compris.

L'EMPATHIE ET LA SYMPATHIE

On oppose parfois *empathie* et *sympathie*, comme si la sympathie était mauvaise et que seule l'empathie était désirable. Mais les choses ne sont pas aussi simples. Il est vrai que l'étymologie de ces mots diffère quelque peu, *empathie* signifiant « sentir de l'intérieur » et *sympathie*, « sentir avec ». Mais, dans les deux cas, l'aidant doit *ressentir* ce que l'aidé éprouve, en se faisant accueillant au vécu de ce dernier. Plusieurs auteurs voient d'ailleurs l'empathie comme « une tendance biologique innée à réagir émotivement aux émotions des autres » (voir Williams, 1990, p. 162).

Pour faire de la relation d'aide, l'aidant doit se constituer à l'intérieur de lui-même ce qu'on pourrait appeler parfois une *caisse de résonance empathique* (voir Kennedy et Charles, 1990, p. 124). Il s'agit de faire taire en soi les bruits provenant de ses propres préoccupations, idées, croyances, valeurs et expériences. L'image du stéthoscope utilisée plus haut peut nous aider ici : pour vraiment *entendre* autrui, l'aidant doit se couper des bruits provenant de son univers personnel, de façon à se centrer totalement sur les sons qui émanent de l'univers de l'aidé.

Ce faisant, l'aidant peut alors vibrer à ce que l'aidé ressent. Plus précisément, il peut laisser le vécu de l'aidé se répercuter dans sa caisse de résonance, jusqu'à ce que ces messages, souvent faibles et diffus et se recouvrant les uns les autres, finissent par résonner assez clairement pour pouvoir être identifiés avec précision (comme étant de la peur, de la culpabilité, de la colère, de l'ambivalence, etc.).

L'aidant doit donc se faire suffisamment proche de son aidé pour pouvoir vibrer émotivement au vécu de ce dernier, ce qui est à proprement parler de la sympathie. Un auteur va jusqu'à dire que l'empathie implique que l'on « fasse l'expérience » de l'émotion vécue par l'aidé, bien que « sous une forme atténuée » (Williams, 1990, p. 166). On peut en effet vibrer exagérément au vécu de l'aidé, ce que nous appelons la « surimplication émotive ». Nous reviendrons en détail sur ce phénomène, au chapitre 11.

On a vu que la proximité affective n'est que la première composante de l'empathie. Après avoir senti, il faut comprendre, et communiquer cette compréhension. Nous ajoutons à l'empathie une quatrième composante ou sous-habileté, qui consiste à *capter* la façon dont l'aidé réagit à ce qui lui est communiqué par l'aidant.

Après avoir senti, identifié et communiqué, l'aidant doit vérifier l'impact de son intervention, ce qui peut l'amener à amorcer une autre boucle empathique (sentir, identifier, communiquer et vérifier…).

Pour communiquer sa compréhension et vérifier l'impact de cette communication sur l'aidé, l'aidant dispose de deux outils majeurs, dont nous avons donné un aperçu au chapitre 2, soit le reflet (identifier un sentiment vécu par l'aidé) et la focalisation (demander à l'aidé d'identifier lui-même ce sentiment). Nous y reviendrons au chapitre 8.

CONNAISSANCES EN PSYCHOLOGIE ET CONNAISSANCES PROFESSIONNELLES

Il manque un élément important au modèle présenté plus haut. N'oublions pas que nous nous adressons à des intervenants aussi diversifiés que des infirmières et des médecins, des avocats et des notaires, des animateurs de pastorale, des bénévoles, des enseignants…

Nombre de ces personnes éprouvent le besoin d'acquérir des habiletés dans la relation d'aide parce qu'elles désirent tenir compte du *facteur humain* dans leurs interventions professionnelles. Mais elles ont en même temps un champ de compétence propre, et les besoins de leurs clients ou de leurs patients sont souvent reliés à cette expertise qu'ils possèdent, que ce soit dans le domaine de la santé, de la loi, de la religion…

Comme cette expertise doit souvent intervenir à un moment donné, il faut préciser selon quelles modalités cela se fera. Imaginons le dialogue suivant entre un avocat et son client :

Client	Je pense que je veux divorcer. Ça fait longtemps que j'y pense et les choses ne s'améliorent pas.
Avocat	Quand une personne s'exprime comme vous le faites, c'est d'habitude parce qu'elle n'est pas vraiment décidée. Est-ce que je me trompe ?
Client	Je ne sais pas. C'est difficile de me décider. Qu'est-ce que vous en pensez ?
Avocat	Vous avez l'impression qu'en connaissant mon point de vue, vous allez voir plus clair ?

Si l'on se reporte au modèle présenté plus haut, on peut voir que, pour sa première intervention, l'avocat est allé puiser dans son réservoir de connaissances psychologiques pour formuler une interprétation. Nous consacrerons le chapitre 12 à la question de l'interprétation. Mais on peut déjà faire l'hypothèse que, après avoir écouté son client, l'avocat a fait appel aux connaissances psychologiques qu'il a accumulées sur le fonctionnement des êtres humains, et qu'il a aussi utilisé le concept psychologique d'*ambivalence* pour saisir le vécu actuel de son client. Ce n'est qu'à la suite de ces opérations mentales qu'il a été en mesure de faire son intervention.

Quant à sa seconde intervention, elle a découlé plus directement de sa *caisse de résonance empathique* : « Je sens que cette personne me demande de l'aider à sortir de son désarroi. »

Mais cet avocat possède en outre un savoir et une expérience dans le domaine juridique, qu'il doit évidemment mettre à contribution dans l'entretien. C'est pourquoi sa troisième intervention pourrait prendre la forme suivante :

Client   Dites-moi si je ferais bien de demander le divorce.

Avocat   Les grosses questions, c'est habituellement la garde des enfants et la répartition des biens familiaux. On pourrait regarder d'abord la question des enfants, et ensuite ce que dit la loi. Est-ce que ça vous convient ?

Il faut donc ajouter un autre élément à notre modèle, que l'on pourrait appeler le *réservoir de connaissances professionnelles*. On rejoindrait alors l'approche du psychologue Yves Saint-Arnaud (1979a, 1979b), qui présente un modèle pouvant être illustré comme dans la figure 5.

Les termes suggérés par Saint-Arnaud permettent de distinguer plus clairement les trois rôles de l'aidant tels qu'ils ont été évoqués plus haut. Voyons-y de plus près.

Un rôle de *récepteur*, d'abord, qui permet à l'aidant de capter le plus exactement possible les informations verbales et non verbales émises par l'aidé.

Un rôle de *facilitateur*, ensuite, qui se décompose en deux tâches. La première consiste pour l'aidant à utiliser sa sensibilité pour répondre à la question suivante : « Comment se sent-on quand on est dans la peau et dans la situation de l'aidé et qu'on éprouve le sentiment qu'il exprime actuellement ? »

Reprenant les concepts de résonance et d'empathie utilisés par Kennedy (1977), Saint-Arnaud parle d'*amplification* et de *décodage empathique*. Il s'agit d'abord de clarifier des messages qui sont souvent émis faiblement, ce qui est précisément le rôle d'un amplificateur. Il s'agit ensuite de traduire ce message en se plaçant dans l'univers subjectif de l'aidé. Saint-Arnaud parle alors de *décodage empathique*, concept que l'on trouve dans la figure sous l'expression *retour en plus clair*, qui correspond à ce que nous avons appelé plus haut le *reflet*.

Figure 5   Un modèle de la relation d'aide (première version)

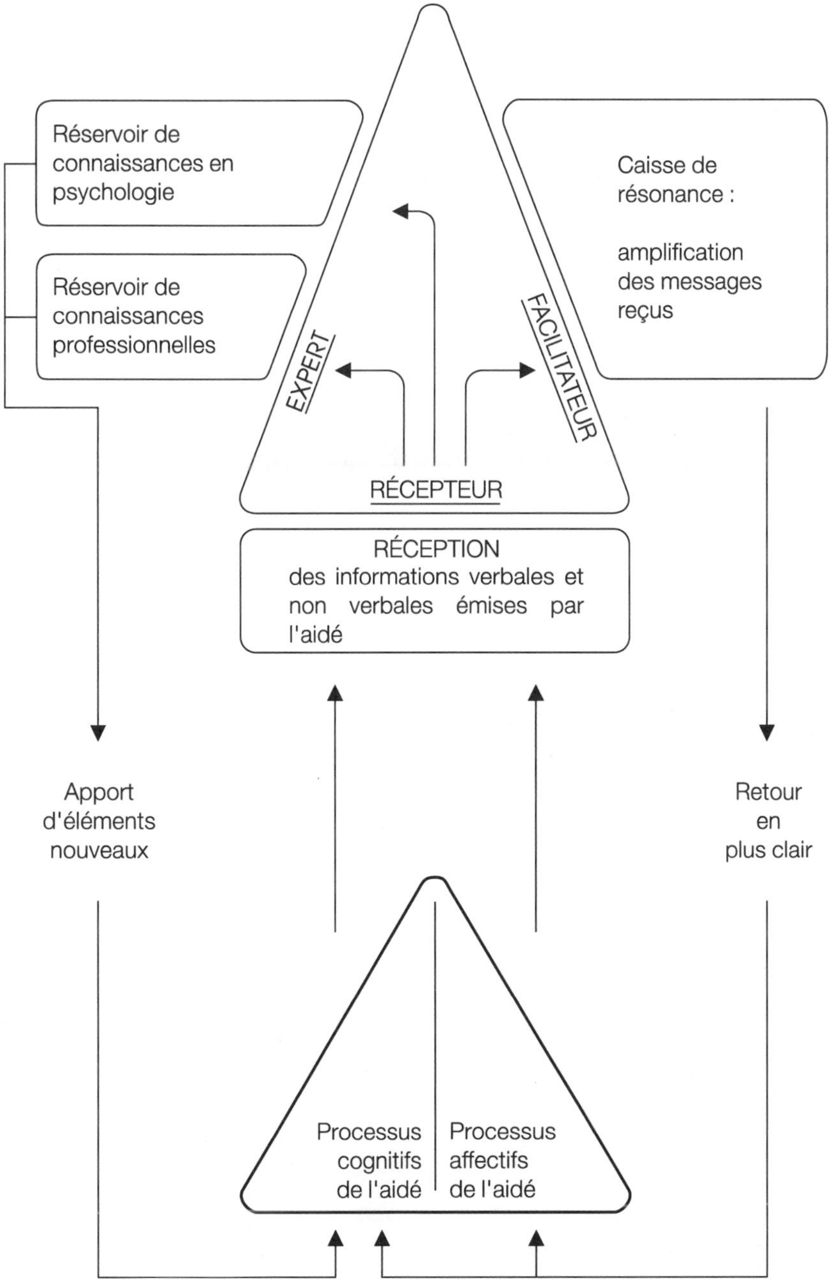

Réservoir de connaissances en psychologie

Réservoir de connaissances professionnelles

Caisse de résonance :

amplification des messages reçus

EXPERT

FACILITATEUR

RÉCEPTEUR

RÉCEPTION
des informations verbales et non verbales émises par l'aidé

Apport
d'éléments
nouveaux

Retour
en
plus clair

Processus cognitifs de l'aidé

Processus affectifs de l'aidé

Dans la partie gauche du modèle, nous trouvons le rôle d'*expert*, qui se décompose lui aussi en deux tâches. L'aidant dispose d'abord d'un *réservoir* plus ou moins vaste *de connaissances en psychologie*. Dans le cas de la relation d'aide semi-formelle telle qu'elle est pratiquée par un infirmier ou une animatrice de pastorale, par exemple, ce réservoir est évidemment moins complet que dans le cas d'un psychothérapeute professionnel. Mais un tel aidant possède néanmoins une certaine initiation à la psychologie et aux phénomènes de base à l'œuvre dans la personne humaine, ne serait-ce que par le biais de lectures personnelles et d'une formation d'appoint.

Ce sont ces connaissances qui lui permettront d'opérer un *décodage objectif* des informations émises par l'aidé, c'est-à-dire de faire des hypothèses pour tenter de saisir et d'expliquer ce vécu. L'aidant pourra se dire, par exemple : « Si mon aidé ne quitte pas le niveau des idées, c'est probablement qu'il se sent menacé par le monde de ses émotions », « S'il insiste pour que je lui règle ses problèmes, c'est probablement parce qu'il a une tendance à la dépendance », etc.

L'aidant peut communiquer à l'aidé ces hypothèses ou ces interprétations s'il estime que cette intervention a des chances de stimuler ce dernier dans l'exploration de son problème. Il se trouvera alors à *apporter* dans le champ de conscience de son aidé des éléments nouveaux pour celui-ci, tandis que lorsqu'il agissait comme facilitateur, il ne faisait que *retourner* ce qui provenait directement de ce champ de conscience.

Mais outre qu'il possède certaines connaissances en psychologie, l'aidant a souvent acquis des connaissances dans un autre champ professionnel : sciences infirmières, gérontologie, gestion de personnel... C'est pourquoi le modèle prévoit un *réservoir de connaissances professionnelles* propre à l'aidant. C'est en puisant dans ce réservoir que celui-ci pourra apporter des informations utiles à l'aidé pour la compréhension de sa situation : source et effets de ses symptômes, dispositions de la convention collective concernant son régime de retraite, phénomènes normaux reliés à son vieillissement, etc.

L'ALTERNANCE DES RÔLES

À l'instar de certains médecins, avocats ou animateurs de pastorale, un chauffeur de taxi, une barmaid ou une coiffeuse peuvent consacrer une part importante de leur temps à aider leurs clients à régler leurs problèmes. Mais on s'attend rarement à ce qu'ils interviennent à partir d'un modèle précis et qu'ils se préoccupent de vérifier dans la suite de l'entretien si leurs interventions étaient pertinentes ou non.

Pour marquer la différence entre un aidant amateur et un aidant semi-professionnel, Saint-Arnaud distingue la compétence *professionnelle* de l'aidant (sa formation médicale ou juridique, par exemple) et sa compétence *interpersonnelle*, c'est-à-dire sa capacité d'être un bon facilitateur, de faire de bons reflets, de choisir le cadre de référence approprié pour une intervention pertinente.

C'est ainsi qu'un médecin ou un théologien chevronnés peuvent être de piteux aidants, incapables de saisir les sentiments de leur aidé et de guider celui-ci dans la compréhension de son vécu. Par ailleurs, une infirmière ou une animatrice de pastorale, dont les connaissances médicales ou théologiques sont moindres, pourraient posséder une meilleure compétence interpersonnelle, et être ainsi des aidantes nettement plus adéquates.

Lorsque l'aidant décide de se situer dans son rôle d'expert (sur le plan de ses connaissances en psychologie ou de sa compétence professionnelle propre) et de donner une information, il fait l'hypothèse que c'est ce type d'intervention qui a le plus de chances de stimuler le processus exploratoire de son aidé à ce moment-ci de l'entrevue.

Pour vérifier cette hypothèse, il doit, une fois cette intervention effectuée, quitter son rôle d'expert pour revenir à son rôle de facilitateur (amplification, décodage empathique et retour). Car introduire un élément nouveau dans un système subjectif, c'est un peu comme greffer un organe sur un système physiologique : l'organisme peut réagir positivement, mais il peut aussi rejeter l'organe ou développer une infection.

En réintégrant sa caisse de résonance empathique, l'aidant devient alors en mesure de déceler les *signes vitaux* de l'aidé : soulagement ou anxiété, intérêt ou frustration, résistance ou rejet... En décodant ces réactions à partir de la subjectivité de son aidé et en lui retournant ces informations, l'aidant suscite de nouvelles réactions chez ce dernier, ce qui permet de stimuler le processus exploratoire et de le réorienter au besoin.

On constate l'importance de la mobilité de l'aidant entre ses différents rôles. Sans apport de l'aidant, la relation d'aide risque parfois de tourner en rond, faute de stimulation. Mais sans facilitation, l'aidant n'est plus en mesure de vérifier la pertinence de ses apports : ceux-ci sont peut-être décrochés du vécu actuel de son aidé, contribuant alors à freiner le processus exploratoire de ce dernier plutôt que de l'activer…

Nous terminons ici la présentation de la première version du modèle. Nous examinerons au chapitre suivant certains présupposés sur lesquels s'appuie ce modèle.

QUATRE PRÉSUPPOSÉS DU MODÈLE

Toute relation d'aide se vit à partir d'une conception plus ou moins explicite de la personne humaine et de son fonctionnement, et notre modèle ne fait pas exception. Le présent chapitre vise à expliciter les principes sur lesquels ce modèle repose.

LES DEUX PREMIERS PRÉSUPPOSÉS

Dans la ligne du courant humaniste représenté par Carl Rogers, nous accordons une grande attention à la subjectivité de l'aidé, c'est-à-dire à la façon dont il se perçoit lui-même et dont il perçoit son environnement. L'aidé peut, par exemple, percevoir la mort de sa mère comme une libération ou, au contraire, comme un abandon, il peut la percevoir comme une punition, une absurdité ou, au contraire, comme un fait normal compte tenu des probabilités de l'espérance de vie… ou encore comme un mélange de tout cela ! Les subtilités de la subjectivité font donc de chacun un être unique et de chaque événement qui lui arrive un mystère dont il est le seul à pouvoir nous révéler le secret.

Dans sa dimension scientifique, la psychologie se préoccupe par ailleurs de repérer des constantes et de dégager des lois explicatives dans le comportement humain. Nous nous intéressons alors à la personne humaine en ce qu'elle a de commun avec toutes les autres. Comme le disent deux psychologues, « même si toutes les personnes sont uniques, il y a bien des façons dont elles sont semblables » (Gelso et Fretz, 1991, p. 294).

Nous obtenons ainsi deux pôles, soit le pôle de la similitude, qui représente l'approche scientifique, et le pôle de la différence, qui représente l'approche humaniste, perceptuelle ou existentialiste. Mais plutôt que de les opposer, on peut concevoir ces pôles comme complémentaires, et percevoir la personne humaine à la fois comme semblable à toutes les autres et comme unique au monde. Nous obtenons ainsi les deux premiers présupposés de notre modèle, que l'on peut formuler comme suit :

Premier présupposé : *toute personne est en partie semblable aux autres*.

Deuxième présupposé : *toute personne est en partie unique au monde*.

Le premier présupposé vient nuancer ce que peut avoir d'excessif l'affirmation selon laquelle « toute personne est unique au monde », et nous invite à tenir compte des nombreuses structures biologiques et psychologiques qui se retrouvent chez tous les humains.

C'est également ce présupposé qui permet à l'aidant d'utiliser, pour comprendre un aidé qu'il rencontre pour la première fois, l'expérience acquise auprès des autres aidés qu'il a accompagnés jusqu'alors.

Ce premier présupposé est ainsi à la base de la partie gauche de notre modèle. Les connaissances en psychologie, en médecine ou en gérontologie, par exemple, ont toutes été acquises à partir de l'observation systématique d'un grand nombre de sujets, et elles sont ensuite appliquées au sujet précis que l'aidant a devant lui.

Lorsqu'il intervient à partir du côté gauche du modèle, l'aidant se fait la réflexion suivante : « Puisque la personne humaine est en partie semblable aux autres, ce que la psychologie, la médecine ou la gérontologie me disent des humains en général a des chances de s'appliquer aussi au sujet, au patient ou à la personne âgée que j'ai devant moi. »

Toutefois, « comme l'individu humain est le plus personnalisé que l'on connaisse dans la nature, l'aidant qui utilise son savoir professionnel est le plus souvent en face de nombreuses hypothèses pour comprendre la situation de l'aidé » (Saint-Arnaud, 1979a, p. 9).

Il s'ensuit que « décoder professionnellement, c'est ordinairement multiplier les hypothèses ». Ainsi, contrairement à l'aidant amateur ou débutant qui est prisonnier d'une hypothèse unique pour expliquer tout le réel, l'aidant compétent est celui « dont le savoir est assez vaste pour envisager plusieurs hypothèses ».

Le présupposé selon lequel « toute personne est en partie semblable aux autres » a d'ailleurs été *redécouvert* par Carl Rogers lui-même, l'un des grands avocats de la subjectivité et du caractère unique de chaque individu. Rogers (cité par Maslow, 1968, p. 690) déclarait ainsi : « Plus nous allons profondément à l'intérieur de nous-mêmes en tant que particuliers et uniques, à la recherche de notre identité propre et individuelle, plus nous rencontrons l'espèce humaine dans son ensemble. »

Dans le contexte de la relation d'aide, on pourrait inverser les perspectives et dire : « Plus nous allons profondément à l'intérieur de la subjectivité de l'aidé, plus nous le reconnaissons comme un être particulier et unique, et plus alors nous avons de chances de retrouver dans son vécu quelque chose qui ressemble à ce que nous avons nous-mêmes déjà vécu ou à ce dont nous avons été témoins autour de nous. »

Au-delà de l'*empathie difficile*, dans laquelle l'aidant s'efforce d'accueillir l'aidé dans sa différence, il existe aussi une *empathie spontanée*. Cette dernière provient du fait que le vécu de l'aidé, pour confus ou pénible qu'il soit, rejoint d'une certaine manière le vécu même de l'aidant, ou du moins son expérience humaine.

Nous avons dit plus haut que l'application de données objectives à une personne concrète est toujours le fait d'une hypothèse. Il y a en effet de nombreux *si* qui interviennent dans cette démarche : *si* cette personne ressemble à la population qui a été étudiée dans la recherche à laquelle je me reporte, *si* cette personne fait partie des 97 % de sujets pour lesquels tel symptôme est le signe de telle maladie, ou pour lesquels telle loi s'applique…

Avec le concept d'hypothèse, nous rejoignons le second présupposé, selon lequel toute personne est en partie différente des autres et unique au monde. L'humain est un être complexe qui utilise son énergie de façons pouvant varier presque à l'infini. Il faut donc faire preuve de prudence face aux conclusions que l'on peut être tenté de tirer à partir d'indices isolés remarqués dans le comportement d'un aidé. Un auteur se permet à cet égard la boutade suivante : « Tout le monde est une exception ! » (O'Hanlon, 1990).

Mieux vaut donc se mettre patiemment à l'écoute de la signification que l'aidé dégage lui-même de ses sentiments, de ses comportements et de ses questionnements. Ce sont ainsi toutes les interventions relevant de la partie droite du modèle qui se trouvent légitimées par le deuxième présupposé.

La synthèse des deux présupposés

Un aidant qui n'adhérerait qu'au premier présupposé (sur la similitude entre les humains) se condamnerait à ne faire que de l'expertise, la solution ne pouvant venir que de son savoir, indépendamment du cheminement de son aidé. Ou encore, cet aidant serait porté à imposer *ses* solutions à son aidé, se disant que, puisqu'on est tous semblables, ce qui est bon pour lui est nécessairement bon pour l'autre.

À l'inverse, un aidant qui n'adhérerait qu'au second présupposé s'abstiendrait de tout apport, la lumière ne pouvant toujours venir que de son aidé lui-même, puisque chacun est unique au monde. Cet aidant priverait alors son aidé de tout éclairage venu d'ailleurs et pouvant susciter chez celui-ci des prises de conscience importantes.

N'étant pas en mesure de stimuler le processus exploratoire de son aidé autrement que par sa simple présence et ses seuls reflets, cet aidant serait moins efficace, surtout dans la relation d'aide semi-formelle, qui est habituellement une démarche à court terme.

Il faut donc tenir compte simultanément des deux présupposés si l'on veut faire une utilisation optimale du modèle, ce qui tend d'ailleurs à être pratique courante chez les aidants (Thomas, 1990, p. 17).

Cette synthèse des deux présupposés se trouve illustrée par la pratique du diagnostic, qui consiste à formuler en termes objectifs le problème vécu par l'aidé. Nous verrons au chapitre 7 que le diagnostic implique une distance critique par rapport à l'aidé. Pour établir un bon diagnostic, l'aidant se pose plus ou moins consciemment la question suivante : « En quoi mes connaissances psychologiques et mon expérience des humains me permettent-elles de saisir le problème de la personne que j'ai actuellement devant moi ? »

Tout diagnostic implique une distanciation et une référence à l'universel (premier présupposé), mais comme le disent Kennedy et Charles (1990, p. 124), un diagnostic « sensible et intelligent nous permet de saisir plus clairement notre aidé dans son individualité propre » (second présupposé).

LE TROISIÈME PRÉSUPPOSÉ

En nous inspirant directement de Beck (1963, p. 145), nous formulerons comme suit notre troisième présupposé : *toute personne possède la capacité de résoudre ses problèmes d'ordre existentiel, pourvu qu'elle reçoive au besoin l'aide appropriée.*

Les problèmes d'ordre existentiel sont ceux qui surgissent dans la gestion de sa vie personnelle. Pensons à des enjeux comme un mariage ou un divorce, une réorientation professionnelle, la gestion d'un conflit, un travail de deuil, la possibilité d'interrompre une grossesse ou de vivre ouvertement son homosexualité.

Les problèmes de cet ordre diffèrent de ceux nécessitant une expertise. Si beaucoup de problèmes sont insolubles sans l'intervention d'un médecin, d'une avocate ou d'un mécanicien, la solution des problèmes d'ordre existentiel, affirme le troisième présupposé, se trouve entre les mains non pas des spécialistes, mais du sujet lui-même. Dans la gestion de sa vie, chacun est en principe son propre expert.

De fait, les gens règlent d'habitude d'une façon relativement appropriée quantité de problèmes d'ordre existentiel, que ce soit dans leur couple, dans leur rôle de parents, au travail, dans leur rôle de consommateurs, dans leur vie sociale…

Mais on sait que l'humain est un être complexe, et que les situations dans lesquelles il se trouve le sont parfois aussi. C'est pourquoi le troisième présupposé affirme que la gestion des problèmes d'ordre existentiel, même si elle relève en dernier ressort de l'intéressé, nécessite *parfois* (quand elle atteint des niveaux de complexité trop élevés) l'intervention d'une aide appropriée.

Nos deux premiers présupposés présentaient des croyances complémentaires, concernant la ressemblance et la différence entre les humains. Le troisième présupposé implique lui aussi un équilibre délicat entre l'autonomie et la compétence existentielle des gens, d'une part, et, d'autre part, la nécessité occasionnelle d'une relation d'aide pour soutenir, éclairer et consolider cette autonomie et cette compétence.

Les gens possèdent normalement la compétence existentielle qui leur permet de maintenir et d'augmenter la qualité de leur vie. On doit bien admettre cependant que, de temps en temps, cette qualité de vie se trouve diminuée parce que certaines *crises existentielles* sont mal gérées : telle difficulté de communication dégénère en conflit insoluble, telle difficulté se termine en échec, telle décision prise impulsivement suscite par la suite d'amers regrets, etc.

Le troisième présupposé affirme cependant que même lorsqu'il éprouve le besoin de se faire aider, le sujet demeure l'expert de son problème et que c'est lui qui se trouve le mieux placé pour décider en dernière analyse de la solution la plus appropriée pour lui. Ce présupposé affirme donc que l'aidant, pour nécessaire et précieux qu'il puisse être à certains moments, ne demeure toujours qu'une *ressource d'appoint*, son rôle se limitant à faciliter chez son aidé la compréhension de son problème et la mobilisation de ses ressources.

LE QUATRIÈME PRÉSUPPOSÉ

Nous avons distingué plus haut entre les problèmes qui relèvent d'experts (en mécanique, en droit, en médecine...) et les problèmes d'ordre existentiel, qui relèvent directement de l'intéressé. Mais ces deux catégories ne sont pas étanches, et *plusieurs problèmes d'ordre existentiel nécessitent pour leur solution l'apport d'informations spécialisées.*

Cette dernière affirmation constitue notre quatrième présupposé. Beaucoup de problèmes existentiels ont des incidences médicales, légales, fiscales ou autres. Par exemple, se constituer un capital retraite pour s'assurer une vieillesse décente représente une décision d'ordre existentiel. Mais il faut aussi évaluer le type de fonds, la quantité d'argent qu'on y investira, le montant et le rythme des déboursés qu'on y affectera, le moment où ce fonds permettra la prise de la retraite, l'institution à laquelle on le confiera…

Comme deuxième exemple, prenons le cas d'une personne qui se demande si elle devrait ou non mettre un terme à son mariage. Il s'agit, encore ici, d'un problème existentiel. Mais il se peut que cette personne ne se sente pas prête à prendre sa décision et qu'elle éprouve le besoin de consulter un avocat pour explorer les différents scénarios possibles face à ce divorce éventuel.

Si cette personne est de religion catholique, il se pourrait qu'elle éprouve d'abord le besoin de rencontrer un consultant pastoral pour situer cette possibilité de divorce par rapport à ses croyances et aux exigences de son Église.

Il se pourrait enfin que cette personne songe également à d'autres spécialistes, comme un consultant matrimonial qui l'aiderait à évaluer avec son conjoint les modes de communication qui se sont créés entre eux au fil des ans.

Dans ce dernier exemple, le sujet est toujours aux prises avec un problème existentiel, quelle que soit la spécialité de l'intervenant consulté. Mais, à travers chacune de ces consultations, il a comme objectif de se faire aider à progresser dans l'exploration de son problème et de sa solution.

C'est pourquoi le quatrième présupposé affirme que certains problèmes d'ordre existentiel nécessitent, pour une solution appropriée, *à la fois* un apport d'informations spécialisées et une aide pour utiliser cet apport.

Si le spécialiste ne fait que transmettre des informations spécialisées, il limite son rôle à celui d'un expert, que ce soit en mécanique, en droit, en théologie ou en médecine, faisant ainsi abstraction du vécu du sujet et de son besoin de s'approprier ces informations et d'y réagir.

Dans une démarche de relation d'aide, au contraire, l'expert utilisera la même *compétence professionnelle* (il puisera dans le même réservoir de connaissances spécialisées), mais il utilisera également sa *compétence interpersonnelle*, c'est-à-dire qu'il puisera dans son réservoir de connaissances en psychologie, d'une part, et qu'il aura recours à sa caisse de résonance empathique, d'autre part. Par ses reflets et ses focalisations, il sera alors en mesure d'aider le sujet à clarifier l'impact de l'apport de connaissances spécialisées et à en tirer profit pour son cheminement existentiel.

C'est donc précisément ce quatrième présupposé qui motive les divers spécialistes mentionnés plus haut à utiliser un modèle de relation d'aide qui leur permette à la fois de sauvegarder leur identité professionnelle (comme médecins, avocats, animateurs de pastorale...) et de tenir compte du vécu, des ressources, de la responsabilité et de la liberté du sujet auprès de qui ils interviennent.

Cela complète l'examen des présupposés du modèle. L'explicitation de ces principes devrait permettre à tout aidant de se faire une idée plus claire des croyances qui l'animent et des objectifs qu'il se fixe dans ses interventions.

CHAPITRE 5

LES ÉTAPES DE LA RELATION D'AIDE

L e modèle présenté plus haut visait à clarifier les rôles de l'aidant. Nous allons maintenant examiner le cheminement de l'aidé, à mesure que celui-ci avance dans sa démarche.

Le psychanalyste Jung (1962, p. 67) décrit la première étape de cette démarche comme celle de l'*aveu*, où la personne cesse de se défendre, pour accepter sa vulnérabilité et prendre contact avec les réalités qu'elle a tenté de nier jusqu'ici.

Ce moment critique s'accompagne souvent de résistances plus ou moins fortes : « J'ai un problème mais il n'est pas grave » ; « J'ai un problème, mais j'ai commencé à le régler. » Plusieurs décisions de demander de l'aide avortent dès cette première étape, neutralisées par l'anxiété que fait naître la perspective de l'aveu.

Ou encore, poussé par son anxiété, le sujet évoque rapidement son problème, pour s'engager ensuite dans des solutions imprécises et prématurées. Cette démarche lui donne ainsi l'impression d'avoir *fait quelque chose*, tout en lui évitant l'anxiété d'une exploration plus approfondie.

Nous reviendrons au chapitre 14 sur le phénomène de la résistance, qui est susceptible de refaire surface tout au long de la démarche. Disons pour l'instant que ce phénomène se manifeste souvent aussi par le décalage entre *le problème tel qu'il est initialement formulé par le sujet* et *ce qui s'avère par la suite son problème réel*.

UN EXEMPLE D'AMORCE DE RELATION D'AIDE

Prenons un exemple. Tous les matins, une résidente en centre d'accueil se plaint de tous les maux, même si tous ses examens médicaux demeurent négatifs. Le problème formulé serait donc : « Je vis toutes sortes de malaises », tandis que le problème réel pourrait être : « J'ai besoin d'attention. » Mais la suite de l'entrevue nous en apprend davantage :

Aidée	Garde, à trois heures du matin, je ne dormais plus. Mon cœur battait très vite et voulait me sortir de la poitrine. Prenez mon pouls, vous allez bien voir.
Aidante	Votre cœur battait vite. Comment vous sentez-vous quand votre cœur bat de cette façon ?
Aidée	Bien, mon beau-frère se réveillait comme ça la nuit et personne ne le prenait au sérieux, pas plus que vous, médecins et infirmières. Et un beau matin, on l'a trouvé mort dans son lit.
Aidante	Êtes-vous en train de me dire que vous avez peur de mourir ?
Aidée	Ce n'est pas que j'ai vraiment peur de mourir. Mais vous voyez, mon beau-frère est quand même mort. J'aimerais bien qu'on me croie.

À la suite de ces confidences, l'aidante remarque ceci : « À ma grande surprise, cette femme me parlait pour la première fois de sa peur. Jusqu'ici, le fait de la rassurer n'avait jamais donné de résultat, elle ajoutait toujours d'autres malaises. Elle insistait tellement sur ses multiples maladies que j'en devenais agressive. Depuis cette conversation, nous sommes en bonne relation toutes les deux. »

Comme on le voit, le problème réel se présente souvent enveloppé de différentes façons, comme si le fait de le maquiller avait pour effet de l'atténuer. Et c'est l'écoute empathique de l'aidant qui permet à l'aidé de trouver le courage de définir avec plus de précision et de transparence sa vraie détresse et ses vraies peurs.

Ce faisant, l'aidé devient plus facile à accueillir, comme si le fait de se présenter dans sa vulnérabilité avait pour effet de le rendre plus humain aux yeux de l'aidant. L'exemple qui précède illustre bien ce phénomène aussi.

LES DIVERS NIVEAUX DE PROFONDEUR DE LA DÉMARCHE

Ces réflexions permettent de voir la première phase de la relation d'aide comme une démarche descendante, dans laquelle l'aidé va à la rencontre de sa réalité personnelle. Cette première phase sera suivie d'une phase ascendante, dans laquelle, ayant exploré et compris les raisons de son vécu problématique, l'aidé s'emploiera à préciser et à réaliser les changements désirés dans sa façon de vivre. La figure 6 présente l'enchaînement de ces étapes.

La colonne de gauche précise les différentes réalités en cause, selon le niveau de profondeur atteint dans la démarche. Les deux premiers niveaux se caractérisent par un risque de court-circuit de la relation d'aide, si l'aidé évite de s'impliquer et décide de mettre un terme à son amorce d'exploration.

Au premier niveau, celui de la *résistance*, l'aidé ne fait qu'effleurer son problème, en n'y faisant allusion que pour s'en éloigner aussitôt. Un homme qui a un sérieux problème de relation avec sa fille dit, par exemple : « Ma fille a un problème » (plutôt que : « J'ai un problème avec ma fille »...), et il enchaîne aussitôt : « Mais il faut dire que toutes les adolescentes ont des problèmes. Je suppose que ça va se passer avec le temps. » Cela dit, il s'empresse de changer de sujet.

L'aidant peut refléter les sentiments de son aidé : « Il y a quelque chose qui vous préoccupe par rapport à votre fille, mais vous avez l'impression que ça va s'arranger tout seul... » Ou encore, il peut utiliser la focalisation : « Ça serait quoi, son problème ? », ou : « Qu'est-ce qui vous amène à dire qu'elle a un problème ? » Il peut aussi effectuer une confrontation : « Le fait que votre fille ait un problème, ça vous en cause un à vous aussi... »

Figure 6   Différents itinéraires possibles

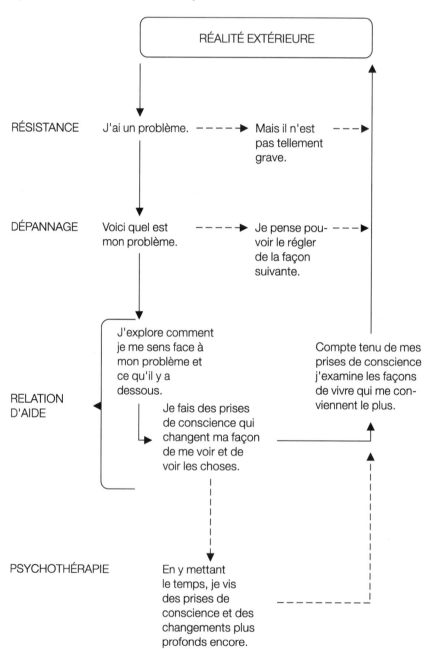

L'aidant peut, au contraire, commencer par offrir un soutien : « Ce n'est pas facile de sentir que son enfant n'est pas heureux... » Si ces interventions ne sont pas effectuées, ou si elles ne réussissent pas, nous serons en présence d'une tentative avortée de relation d'aide, comme si le problème de l'aidé ne lui faisait pas encore assez mal ou lui faisait encore trop peur pour qu'il entreprenne de l'aborder ouvertement.

Au deuxième niveau, celui du *dépannage*, l'aidé se fait davantage présent à son problème, mais il s'empresse d'aller tout de suite à la phase ascendante, comme s'il désirait davantage le régler que le comprendre : « Ma fille a un problème. Je pense que je vais lui acheter une auto. Ça va l'aider à se replacer. »

Le dépannage surviendra si l'interlocuteur de l'aidé accepte de suivre ce dernier à ce niveau, lui disant par exemple : « À quel modèle pensez-vous ? », ou encore : « Est-ce que votre fille a son permis ? »

Le niveau de la *relation d'aide* comme telle ne sera atteint que si l'aidé en vient à explorer comment il se sent par rapport à son problème, et pourquoi il se sent ainsi. C'est en effet seulement à ce moment qu'il sera en mesure de discerner les changements pertinents à apporter dans sa façon de se sentir, de penser et d'agir.

Notre figure distingue enfin un quatrième niveau, qui est celui de la *psychothérapie*. Ce niveau est atteint lorsque l'aidant possède la formation nécessaire pour accompagner son aidé dans l'exploration et la modification de la dynamique profonde de sa personnalité.

La psychothérapie correspond à une démarche structurée, tandis que la relation d'aide, à laquelle nous nous intéressons ici, est souvent informelle et situationnelle, c'est-à-dire déclenchée par un besoin immédiat et d'une durée brève.

On estime qu'une démarche brève a plus de chances de réussir lorsque l'aidé possède les caractéristiques suivantes (Steenbarger, 1992, p. 430) :

— il se débrouille généralement bien dans ses relations interpersonnelles (versus des relations habituellement conflictuelles) ;

— il est conscient de son problème et motivé à le régler (versus un sujet qui se contrôle et qui résiste) ;

— son problème est récent et circonscrit (versus un problème chronique et complexe).

Nous reviendrons sur le sujet au chapitre 15. Dans la figure 6, à la différence des deux premiers niveaux (résistance et dépannage), les deux derniers (relation d'aide et psychothérapie) font intervenir une étape intermédiaire entre la *phase descendante* et la *phase ascendante*, qui est l'étape de la *prise de conscience* ou de la *compréhension* de son vécu.

Certaines démarches d'expression de sentiments (phase descendante) peuvent s'avérer laborieuses et ne déboucher sur des prises de conscience libératrices qu'au terme d'un long cheminement. Avant que ce processus ait suffisamment progressé, l'aidé ressent des choses sans pouvoir les nommer, puis il voit des choses sans être en mesure de les comprendre, puis il les comprend mais sans pouvoir utiliser cette compréhension pour changer…

Une vraie prise de conscience entraîne habituellement chez l'aidé une réorganisation de sa perception de lui-même et de ses proches, et des objectifs qui lui tiennent à cœur. C'est dans ce sens que l'on peut dire que lorsque la relation d'aide réussit, l'aidé se trouve changé par son problème.

LA DYNAMIQUE DE L'ENCHAÎNEMENT DES PHASES

Nous arrivons ainsi à trois étapes qui s'enchaînent, soit :

— la phase descendante, qui est l'étape de l'expression ;

— la phase intermédiaire, qui est l'étape de la compréhension ;

— la phase ascendante, qui est l'étape de l'ajustement ou de la prise en charge.

Par exemple, une mère qui se plaint de ses difficultés à maîtriser son adolescente peut réaliser qu'elle a tendance à surprotéger une fille qui est par ailleurs devenue relativement autonome et responsable. Dans un tel cas, la mère changera en devenant plus permissive. Mais, dans un autre cas, une femme peut en arriver à la conclusion qu'elle se fait exploiter par son compagnon, et décider d'exiger de celui-ci davantage de respect et de réciprocité.

Dans le premier exemple, le changement portera surtout sur les perceptions de l'aidée, et celle-ci ne demandera à personne de changer autour d'elle. Dans le deuxième exemple, le changement portera en partie sur l'image de soi de l'aidée (qui se perçoit davantage comme digne de respect), mais celle-ci entreprendra surtout de négocier de nouveaux rapports à son endroit de la part de ses proches.

La figure 7 présente l'enchaînement des trois étapes de la relation d'aide.

Figure 7   Un schéma simplifié de la relation d'aide

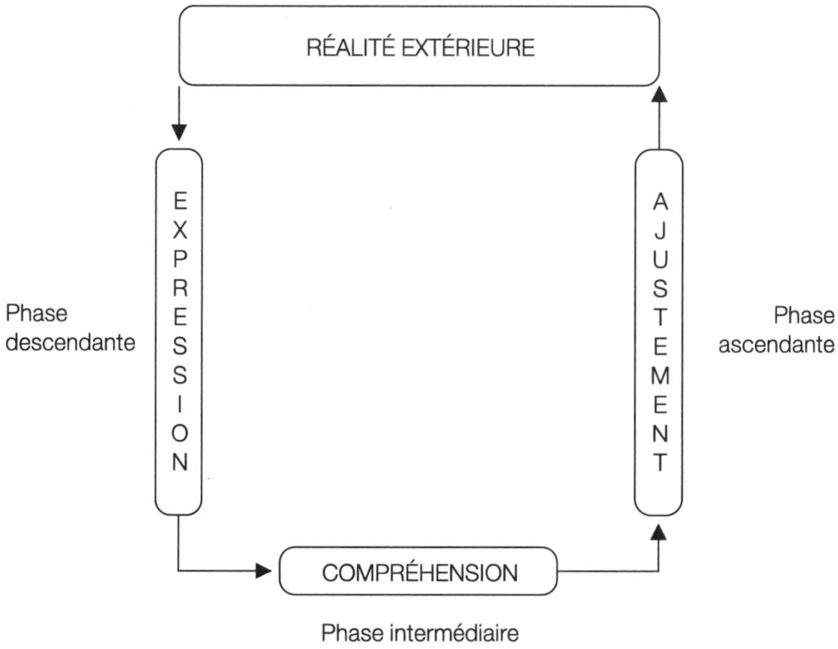

Ce schéma permet de discerner les rôles majeurs de l'aidant à mesure que l'aidé chemine dans sa démarche d'exploration. Dans la phase *descendante*, il s'agit d'explorer la perception qu'a l'aidé de lui-même et de son environnement. Cela se fera surtout en favorisant l'expression des sentiments de l'aidé, puisque ceux-ci traduisent la façon dont il réagit aux pressions de son environnement.

Cette étape est le lieu par excellence du reflet, qui a pour objet de clarifier ces informations offertes par les sentiments. Et cette étape est également le lieu privilégié de la focalisation sur les sentiments, du genre : « Comment te sens-tu actuellement face à ta situation ? »

Dans la phase *intermédiaire*, l'accent est mis sur la compréhension par l'aidé de ce qu'il a exprimé à la phase précédente. L'aidant utilise ici le reflet en profondeur : « La mort de votre mère vous fait vivre un grand chagrin. En même temps, vous vous sentez coupable de ne pas l'avoir assez aimée, et cette culpabilité vient augmenter votre peine. »

La phase intermédiaire est aussi le lieu de l'interprétation, qui est — on le verra au chapitre 12 — proche parente du reflet en profondeur. Dans la même situation que l'exemple évoqué ci-dessus, l'aidant pourrait soumettre à son aidé l'interprétation suivante : « Est-ce que ça se pourrait que vous vous sentiez coupable de ne pas avoir assez aimé votre mère avant sa mort, et que cette culpabilité vous empêche de la laisser vraiment partir ? »

Dans la phase *ascendante*, enfin, l'aidé apprend à bâtir des scénarios de changement, à les évaluer, les préciser et les raffiner, à s'y apprivoiser et à les mettre en œuvre. Nous sommes ici au niveau des démarches de solution de problème et de prise de décision : « Comment m'y prendre dans telle situation ? », « Quel objectif dois-je me fixer ? », etc.

La pertinence de ces scénarios de changement sera proportionnelle à la qualité de la compréhension atteinte à l'étape précédente : mieux l'aidé se comprend, en effet, plus il a de chances de pouvoir discerner ce qui lui convient vraiment.

Mais la qualité de la compréhension ainsi atteinte est elle-même proportionnelle à la précision du contact que l'aidé a réussi à établir avec ses sentiments, à l'étape de l'expression. Plus il réalise comment il se sent coupable, déprimé, en colère, inquiet, etc., plus il a de chances de comprendre pourquoi il se sent ainsi. Cela nous aide à mieux saisir la dynamique de l'enchaînement des étapes que nous avons décrite ci-dessus.

En langage simple, on pourrait décrire comme suit les enjeux de chacune de ces trois étapes dans l'exploration par l'aidé de son problème :

— Étape d'expression : « Qu'est-ce que je vis actuellement ? »

— Étape de compréhension : « Qu'est-ce que cela me dit sur moi ? »

— Étape de prise en charge : « Qu'est-ce que je fais avec cela ? »

LES ANTÉCÉDENTS DU MODÈLE

En 1992, l'American Psychological Association reproduisait un texte de Carl Rogers (1940, 1992) publié près de cinquante ans plus tôt, et dans lequel le célèbre psychologue distinguait les six étapes suivantes dans le processus thérapeutique :

1. Établissement du contact entre l'aidant et l'aidé.

2. Expression spontanée des sentiments de la part de l'aidé.

3. Reconnaissance et acceptation par le client de sa réalité personnelle.

4. Prises de conscience sur son fonctionnement personnel.

5. Prises de décision responsables.

6. Consolidation de l'autonomie, grâce au soutien de l'aidant.

L'auteur précise en préambule que ces étapes se recouvrent partiellement, et qu'elles se présentent parfois dans un ordre différent. On peut penser que le contact entre l'aidant et l'aidé est plutôt un préalable pour que la démarche de relation d'aide puisse survenir, tandis que la consolidation de l'autonomie sera plutôt un effet de la relation d'aide qu'une étape comme telle dans ce processus.

Les quatre étapes centrales paraîtront alors pratiquement identiques à celles de notre modèle, soit, pour l'aidé :

— l'expression des sentiments ;

— les prises de conscience sur son fonctionnement personnel, lorsqu'il est prêt à s'accepter tel qu'il est ;

— les décisions pertinentes menant à sa prise en charge.

C'est ainsi que les intuitions pénétrantes du fondateur de l'approche moderne en relation d'aide rejoignent la pratique qui a toujours cours chez beaucoup d'aidants, un demi-siècle plus tard. Par exemple, Egan (1982, p. 51) utilise lui aussi un modèle en trois étapes qui recoupe passablement celui que nous avons présenté plus haut.

UN INSTRUMENT DE DIAGNOSTIC

Nous examinerons au chapitre 7 la question du diagnostic. Mais nous sommes déjà en mesure d'utiliser notre *schéma simplifié* pour situer l'aidé par rapport à son besoin dominant, et par conséquent pour déterminer le type d'intervention le plus susceptible de stimuler son processus exploratoire.

Prenons l'exemple d'une aidée qui dit : « Je ne réussis pas à discuter avec mon mari des problèmes qu'on a avec notre fille. » En s'exprimant ainsi, cette femme pourrait dire trois choses différentes sur elle-même, et demander par conséquent trois choses différentes à son aidant. Tout dépendra de l'endroit où elle se situe dans son processus exploratoire.

Il se pourrait que cette femme se trouve dans la phase descendante, et qu'elle ajoute ceci : « Je veux juste ventiler là-dessus. Je sais que je ne changerai pas mon mari, mais ça me fait vivre plein de frustrations. »

On peut voir ici la résistance : « Je ne veux pas trop descendre. Je ne veux pas regarder de trop près ce qui se passe entre mon mari et moi... Mais je veux quand même me faire une petite place pour regarder comment je me sens... »

Il se pourrait également que cette femme se trouve dans la phase intermédiaire : « Je suis consciente de la frustration que l'attitude de mon mari me fait vivre, et je veux comprendre pourquoi. Il me semble qu'il y a une partie du problème qui remonte plus loin… »

À ce moment, l'aidée serait relativement dégagée de la pression de ses émotions (elle aurait quitté l'étape de l'*expression*), et elle voudrait comprendre le *pourquoi* de ses réactions.

Mais il se pourrait enfin que cette femme soit rendue plus loin encore, soit au terme de la deuxième étape. Elle dirait à peu près ceci : « J'aimerais arrêter de me sentir perdante en me sentant la seule responsable d'aider notre fille. J'aimerais trouver une façon d'amener mon mari à s'impliquer davantage envers elle. »

La différence entre un aidant peu efficace et un aidant habile réside dans la capacité de ce dernier de se poser les questions suivantes : « Où cette personne en est-elle dans son processus exploratoire ? Est-elle aux prises avec ses émotions ? Cherche-t-elle à comprendre pourquoi elle réagit comme elle le fait ? Est-elle à la recherche d'un scénario de changement ? »

Une fois qu'il a précisé ce que son aidé lui demande plus ou moins clairement, l'aidant se trouve davantage en mesure d'intervenir dans le processus exploratoire qui cherche à s'amorcer ou à progresser, de manière à en stimuler le déroulement.

Au départ, l'aidant se trouve réduit à utiliser son flair. Mais une fois qu'il a situé globalement son aidé, rien ne l'empêche de vérifier auprès de ce dernier la justesse de son diagnostic. Il pourrait dire, par exemple : « Vous sentez le besoin de laisser sortir la vapeur et de voir un peu ce que ça vous fait vivre ? » (première étape), ou : « Vous êtes consciente des émotions que ça vous fait vivre, et vous aimeriez comprendre pourquoi vous réagissez comme vous le faites ? » (deuxième étape), ou encore : « Vous comprenez assez bien comment vous réagissez et pourquoi vous réagissez comme ça, et vous aimeriez voir comment vous pourriez négocier ça avec votre mari ? » (troisième étape).

C'est ainsi qu'un aidant expérimenté se trouve *à pied d'œuvre* dès les premières minutes de l'entretien, sachant rapidement comment intervenir pour exercer une pression adéquate sur le processus exploratoire de son aidé. Un aidant peu expérimenté, qui évolue sans modèle et qui n'a pas d'idée précise de son rôle, pourra mettre au contraire beaucoup de temps à *laisser parler* son aidée, au risque de la laisser tourner en rond, en se limitant à des interventions improvisées.

LE CYCLE COMPLET ET LES AVANCÉES STRATÉGIQUES

L'exemple qui précède nous montre que l'aidée peut commencer une entrevue en se situant à n'importe quel point de la trajectoire illustrée par notre schéma. La logique voudrait qu'elle commence par explorer ses sentiments et qu'elle termine par l'exploration des scénarios de prise en charge. Mais elle a pu cheminer antérieurement avec d'autres aidants, ou elle a pu faire un bout de chemin seule.

Pour la même raison, on peut comprendre que, s'il n'est pas nécessaire qu'elle parte du début, il n'est pas nécessaire non plus qu'elle se rende jusqu'au terme de la troisième étape. Après avoir interagi avec son aidant, l'aidée continuera à vivre, à réfléchir, à échanger sur ses problèmes avec d'autres personnes...

Un processus exploratoire complet (incluant les trois étapes) peut se dérouler à l'intérieur d'un seul entretien, tout comme il peut s'étendre sur plusieurs années. Par exemple, le sujet doit décider s'il va à la pêche avec son fils le samedi suivant, ou s'il utilise ce temps pour rattraper le retard accumulé dans son travail au bureau. Il devra bien sûr regarder comment il se sent par rapport aux attentes de son fils et par rapport à la pression de son travail (phase de l'expression), examiner comment ces sentiments sont influencés par la façon dont il définit ses rôles de parent et de travailleur (phase de la compréhension), et élaborer des scénarios qui tiennent compte du résultat de cette exploration (phase de la prise en charge).

Tout cela pourrait se faire en l'espace de quelques minutes ou de trois quarts d'heure, en fonction de différents facteurs tels que le niveau de difficulté du problème, les aptitudes de l'aidé et les habiletés de l'aidant, ou encore le temps dont ils disposent. Mais on peut également concevoir un processus exploratoire s'étendant sur quelques années, dans le cas d'un deuil, par exemple.

Dans ce dernier cas, on pourrait devoir compter plusieurs mois pour la phase de l'expression des nombreux sentiments intenses provoqués par le deuil, plusieurs mois également pour la compréhension de l'interaction entre ces sentiments et la personnalité du sujet et son histoire personnelle, et de nombreux mois aussi pour la réorganisation de son image de soi et pour sa réinsertion dans son quotidien.

Il est important de saisir l'ampleur de ces variations possibles dans la durée du parcours exploratoire, pour éviter de se sentir inadéquat à l'endroit d'aidés qui ne donneraient pas l'impression d'avancer suffisamment vite.

On trouve plus gratifiant d'accompagner l'aidé dans le parcours complet des trois étapes. Mais, à la réflexion, il est tout aussi gratifiant de l'aider à progresser vraiment dans ce parcours, quels que soient le rythme du cheminement et l'étendue parcourue. L'important devient alors la qualité des interventions, même si celles-ci n'avaient servi à faire progresser l'aidé que d'un centimètre dans notre figure !

Dans l'accompagnement situationnel ou semi-formel, les aidants ne sont toujours que des *ressources d'appoint*, qui n'interviennent que d'une façon ponctuelle. Ils doivent bien sûr viser à réaliser des interventions les plus pertinentes et les plus stimulantes possible. Mais ils doivent se rappeler que leur responsabilité à l'endroit de l'aidé cesse d'exister au moment où s'arrête l'entretien.

CHAPITRE **6**

L'ACQUISITION DE
QUELQUES HABILETÉS

On observe de nettes différences entre l'aide donnée par des gens qui n'ont pas reçu de formation et celle qui est donnée par des sujets initiés à la relation d'aide. Contrairement à ceux-ci, les premiers parlent beaucoup et négligent les sentiments de l'aidé pour se centrer tout de suite sur la solution de son problème (Ryden et collègues, 1991, p. 188).

Les chapitres qui précèdent ont clarifié la dynamique de base de la relation d'aide, et ceux qui suivent en examineront plus en détail les différentes composantes. Le dernier chapitre s'adresse aux formateurs qui supervisent des activités de formation. Quant au présent chapitre, il contient une banque d'exercices axés sur l'acquisition de différentes habiletés, soit :

— l'habileté à distinguer entre différents types d'intervention (premier et quatrième exercice) ;

— l'habileté à utiliser le reflet et la reformulation (deuxième, troisième et quatrième exercice) ;

— l'habileté à utiliser la focalisation (troisième et quatrième exercice) ;

— l'habileté à désigner des sentiments fréquents (cinquième exercice).

PREMIER EXERCICE : LA FORMULATION D'INTERVENTIONS

Dans les cas présentés ci-dessous, on trouvera les premières paroles prononcées par quatre personnes qui s'engagent dans une relation d'aide. À partir de l'une ou l'autre de ces situations, formuler un exemple d'intervention correspondant à chacun des huit types suivants.

Reflet-reformulation	retourner dans nos propres mots à l'aidé son sentiment (reflet) ou sa réflexion (reformulation).
Évaluation-contrôle	approuver ou blâmer l'aidé de penser ou d'agir comme il le fait (évaluation), ou lui indiquer comment agir (contrôle).
Recherche de solution	suggérer à l'aidé des façons de résoudre son problème.
Focalisation	inviter l'aidé à explorer plus précisément un aspect de son vécu.
Soutien	rassurer ou encourager l'aidé.
Question fermée	demander des informations précises sur les données objectives de la situation de l'aidé.
Interprétation	essayer de faire comprendre à l'aidé l'origine de son émotion ou de son comportement.
Confrontation	amener l'aidé à se remettre en question dans ses façons de voir ou ses façons de faire.

Il n'est pas nécessaire que les huit exemples d'intervention soient imaginés à partir d'un seul cas. En guise d'illustration, nous présentons à la page suivante la manière dont une aidante en formation a effectué cet exercice. Lorsque l'exercice se fait en groupe, on réalise la première étape individuellement, après quoi

---

N.B. — La typologie des interventions présentée ci-dessus tend à devenir relativement standardisée chez les intervenants. À titre d'illustration, on trouvera en annexe un tableau comparatif à ce sujet (annexe B).

chaque participant lit une de ses interventions à haute voix, et les autres participants essaient de découvrir le type d'intervention dont il s'agit.

Cas nᵒ 1   « Mon mari ne veut rien savoir de la religion, et voilà que le professeur de catéchèse de ma fille dit qu'il n'est pas question de première communion si les deux parents ne vont pas à deux réunions à l'école. »

Cas nᵒ 2   « Depuis que mon père est mort, ma mère vit seule et je trouve qu'elle fait pitié. J'aurais bien le goût de l'accueillir chez nous, mais je ne sais pas comment ma femme prendrait ça à la longue... »

Cas nᵒ 3   « J'ai un bon mari et je n'ai rien à lui reprocher. Mais, depuis une secousse, j'ai l'impression qu'il fait de l'œil à la voisine. »

Cas nᵒ 4   « Les maudits fonctionnaires du chômage m'ont coupé mes chèques. Ils disent que mes cartes sont trop en retard. J'ai été dans le Sud, et mon stupide beau-frère était censé les remplir et les signer à ma place... »

Voici comment une aidante en formation a fait cet exercice.

Reflet-   « Vous avez peur que votre femme ne s'entende
reformulation   pas bien avec votre mère ? »
(à partir du
cas nᵒ 2)

Évaluation-   « Ça ne vous dérange pas de frauder l'assurance-
contrôle   chômage ? »
(à partir du
cas nᵒ 4)

Recherche   « Avez-vous pensé à exprimer votre inquiétude
de solution   à votre mari ? »
(à partir du
cas nᵒ 3)

Focalisation (à partir du cas n° 1)	« Qu'est-ce qui vous contrarie le plus : que votre mari soit fermé à la religion ou que le professeur insiste sur la participation des deux parents ? »
Soutien (à partir du cas n° 1)	« Ce n'est pas facile d'être croyante et d'avoir un mari qui ne l'est pas. »
Question fermée (à partir du cas n° 3)	« Quel âge a-t-elle, votre voisine ? »
Interprétation (à partir du cas n° 2)	« Vous sentez-vous responsable de votre mère, depuis que votre père est mort ? »
Confrontation (à partir du cas n° 4)	« Il me semble qu'une condition pour recevoir de l'assurance-chômage, c'est d'être disponible pour travailler. »

DEUXIÈME EXERCICE : LE REFLET ET LA REFORMULATION

Les dix cas présentés ci-dessous renferment les premières paroles prononcées par dix personnes qui s'engagent dans une relation d'aide. Il s'agit de désigner, en l'inscrivant à l'intérieur des parenthèses, le sentiment dominant vécu par chacune d'entre elles, et de reformuler en une courte phrase l'essentiel du contenu verbal exprimé dans chaque cas. Voici deux illustrations, au préalable.

Premier exemple	« Je n'étais pas fâchée d'apprendre que mon mari a changé d'idée à propos de l'auto. Il voulait la remplacer par une neuve, mais je trouve qu'on n'a pas les moyens ces temps-ci. »
(Soulagement.)	« Ça vous soulage qu'il ait décidé d'attendre. »
Deuxième exemple	« Je suis fatigué d'entendre parler de mon beau-frère. D'après ma femme, il sait tout faire, ce type-là, et il fait toujours la bonne chose au bon moment. À côté de lui, c'est comme si j'étais un bon à rien. »

(Dévalorisation.)   « Ça vous dévalorise que votre femme vous parle si souvent de son frère. »

On trouvera à la page 66 le nom des sentiments en cause dans les dix cas suivants, ainsi que des exemples d'interventions possibles. Le non-verbal apporterait évidemment des indices supplémentaires, mais on peut néanmoins procéder à partir des seuls indices verbaux présentés ici.

Cas nº 1   « Mon père est plutôt près de son argent. Mais c'est drôle, ma mère m'a dit qu'il a donné un bon montant au garçon du voisin qui est retourné aux études. »

(_____) _____

Cas nº 2   « Mon père est plutôt près de son argent. Mais c'est drôle, ma mère m'a dit qu'il a donné un bon montant au fils du voisin qui est retourné aux études. Il y en a qui sont chanceux... »

(_____) _____

Cas nº 3   « Ça fait longtemps que je ne m'étais pas senti aussi important. Mon aînée a eu son premier enfant, et, quand on est arrivé à l'hôpital, elle venait tout juste de l'allaiter. Elle a dit : "Papa, c'est votre premier petit-fils !" et elle me l'a mis dans les bras. »

(_____) _____

Cas nº 4   « Mon ex-mari voulait m'emprunter de l'argent, et, parce que j'ai refusé, il se venge sur la petite. Comment est-ce qu'un homme peut faire ça ? »

(_____) _____

Cas nº 5   « Ma belle-mère est une femme super-sympathique. Même que des fois, quand ma femme est déplaisante, elle me fait un clin d'œil pour m'encourager à être patient. »

(_____) _____

Cas nº 6   « Je ne sais pas ce que je donnerais pour être plus instruite. Il me semble que ça me donnerait plein de possibilités. Mais j'étais l'aînée et il fallait que je travaille… »

(_____)   _____

Cas nº 7   « On file le parfait bonheur, mon amie et moi. C'est une fille qui a toutes les qualités. S'il y a quelque chose… elle en a trop ! Je me dis parfois qu'elle va finir par rencontrer un gars plus attirant que moi… »

(_____)   _____

Cas nº 8   « Mon père ne tient pas ses promesses. Il m'avait dit qu'il me donnerait un nouveau vélo pour ma fête, et là, il me dit d'attendre à l'an prochain. »

(_____)   _____

Cas nº 9   « À tous les soirs, il y a deux jeunes du coin qui font un vacarme terrible avec leur moto juste devant chez moi. Mais je n'ose pas me plaindre à la police. Les jeunes d'aujourd'hui… »

(_____)   _____

Cas nº 10   « Il y a un étudiant dans mon cours qui passe son temps à contredire le professeur. Il a des idées sur tout et, d'après lui, elles sont toujours meilleures que celles des autres. S'il pouvait se taire, de temps en temps ! »

(_____)   _____

TROISIÈME EXERCICE : UNE DÉMARCHE À DEUX AXÉE SUR LES SENTIMENTS

Directives

Le premier partenaire complète chacune des cinq phrases présentées ci-dessous, en ajoutant au besoin une ou deux phrases complémentaires. Le second partenaire reflète le ou les sentiments en cause (« tu te sens... ») et le contenu verbal (« parce que... »). S'il a de la difficulté à bien saisir le sentiment concerné, il peut utiliser la focalisation.

On fait ensuite un bref retour : le premier partenaire dit s'il s'est senti compris et commente brièvement les interventions de son partenaire.

Après que les cinq premières phrases ont été complétées, on inverse les rôles pour les cinq suivantes. S'il reste du temps, le deuxième partenaire peut compléter les cinq premières phrases, et vice-versa.

Phrases à compléter

Première partie

1. « Quand j'apprends qu'une femme a été victime de violence conjugale, je me sens… parce que… »
2. « Quand quelqu'un monopolise la conversation, je me sens… parce que… »
3. « Quand je suis seul à la maison, je me sens… parce que… »
4. « Quand je vois venir l'automne, je me sens… parce que… »
5. « Le lundi matin, je me sens… parce que… »

Deuxième partie (inversion des rôles)

6. « Quand un inconnu me tutoie, je me sens… parce que… »
7. « Quand je sens que quelqu'un m'en veut, je me sens… parce que… »
8. « Quand je dois exprimer mon opinion dans un groupe, je me sens… parce que… »
9. « Quand on me demande de l'argent sur la rue, je me sens… parce que… »
10. « Quand je fais un exercice comme celui-ci, je me sens… parce que… »

QUATRIÈME EXERCICE : UNE DÉMARCHE D'ÉCOUTE ACTIVE À DEUX

Directives

Chacun choisit un des sujets suggérés ci-dessous et y réfléchit durant deux minutes. Le premier partenaire s'exprime ensuite durant environ cinq minutes, pendant lesquelles le second partenaire utilise le reflet, la reformulation et la focalisation.

On fait ensuite un retour sur l'expérience, comme dans l'exercice précédent, et on vérifie aussi si le deuxième partenaire a utilisé d'autres types d'intervention (soutien, question fermée, etc.). Si oui, on essaie d'établir la pertinence et l'impact de ces interventions. On inverse alors les rôles.

Sujets suggérés

1. Les plaisirs et les frustrations que j'ai éprouvés lors de mes dernières vacances.

2. Une décision importante que j'ai prise un jour.

3. (S'il y a lieu.) Deux choses que j'apprécie et deux choses que j'apprécie moins chez mon conjoint.

4. Des habitudes de ma famille que j'apprécie particulièrement.

5. Une déception que j'ai éprouvée récemment.

6. Deux choses que j'apprécie et deux choses que j'aime moins dans mon travail.

7. Ce que je trouve le plus difficile dans le cours, et ce que ces difficultés me disent sur moi.

8. Etc.

CINQUIÈME EXERCICE : SE FAMILIARISER AVEC DIVERS ÉTATS ÉMOTIFS

La langue française contient quelques milliers de mots et d'expressions pour traduire les différents états émotifs que nous sommes susceptibles d'éprouver de temps à autre. Ces états émotifs varient considérablement selon des nuances et des niveaux d'intensité plus ou moins subtils. Pour bien utiliser le reflet, il faut donc employer le terme approprié, et c'est souvent une question de vocabulaire qui fait la différence entre une intervention efficace et une intervention qui demeure sans effet.

L'exercice qui suit vise à sensibiliser l'aidant à des états émotifs fréquents, et à lui permettre de les nommer avec précision. Cet exercice peut se faire seul, ou en partie individuellement et en partie en groupe.

On verra au chapitre 7 que l'on distingue souvent six émotions de base, soit la peur, la colère, la tristesse, la surprise, le dégoût et la joie. Plusieurs adjectifs traduisent différentes facettes de ces états émotifs, comme l'indique l'exemple suivant.

Exemple

Peur	Colère	Tristesse	Surprise	Dégoût	Joie
inquiet	agressif	peiné	étonné	refroidi	content
méfiant	frustré	abattu	saisi	amer	satisfait

Démarche

Afin de permettre de se familiariser avec le vocabulaire requis pour bien utiliser le reflet, nous avons dressé une liste de près de 600 termes exprimant des sentiments, à partir de laquelle nous avons sélectionné les quelque 275 qui nous semblaient traduire les états émotifs les plus fréquents.

À partir de cette dernière liste, présentée plus bas, il s'agit maintenant de trouver huit termes qui traduisent les sentiments que l'on estime les plus fréquents et qui sont *différents* des six émotions de base présentées plus haut. On pourrait dire, par exemple : *objectif, compétent, conciliant,* etc.

Lorsque cette étape est terminée, les participants mettent leurs choix en commun et examinent les recoupements. On pourra alors comparer ces résultats avec les suggestions de réponses fournies aux pages 66 et 67, où l'on trouve des états émotifs fréquents chez les gens qui s'engagent dans une relation d'aide.

Voici maintenant la liste des termes à considérer.

à l'écart	confortable	divisé	forcé
abandonné	confrontant	dominé	fort
abattu	confronté	drôle	fragile
accepté	confus	dynamisé	froid
accueillant	content		frustré
accueilli	contrarié	ébranlé	furieux
affectueux	contrôlé	écrasé	
agité	coupable	embarrassé	gaffeur
agressé	courageux	en colère	gagnant
agressif	couvé	en compétition	gâté
aimé	craintif	en deuil	gêné
ambivalent	crispé	en forme	généreux
amer	cruel	en prison	
amoureux	curieux	en règle	habile
analysé		en sursis	hésitant
angoissé	d'attaque	en vacances	heureux
anxieux	débile	énervé	honnête
apprécié	débordé	engourdi	honteux
attiré	déchiré	ennuyé	hostile
audacieux	décidé	enthousiaste	
aux aguets	découragé	entouré	idiot
	déçu	envié	ignorant
bafoué	défensif	épié	ignoré
bête	défoulé	étonné	impressionné
bien	dégoûté	étourdi	impuissant
bizarre	dépaysé	étrange	incapable
blâmé	dépendant	exaspéré	incertain
blessé	déprécié	excité	incompétent
bon	déprimé	exigeant	incompris
bousculé	déraciné	exploité	inconfortable
brave	dérangé	exploiteur	indécis
	dérangeant		indifférent
capable	désemparé	fâché	indigné
chaleureux	désespéré	faible	inférieur
chanceux	désiré	fasciné	injuste
choqué	désolé	fatigué	inquiet
comblé	détendu	faux	insatisfait
compétent	différent	fier	insensible
compris	diminué	figé	instable
conciliant	distant	flatté	insulté

intéressé
intimidé
intrigué
inutile
invulnérable
isolé

jaloux
joyeux
jugé
juste

lâche
libéré
libre
lié
limité
loin

macho
mal
maladroit
malheureux
malhonnête
maltraité
manipulateur
manipulé
méchant
méfiant
menacé
méprisant
méprisé
mesquin
mis au défi
misérable
mort
mûr

naïf
nargué
négatif
négligé

nerveux
neutre
normal
nostalgique

objectif
obligé
obsédé
optimiste
oublié
ouvert

paisible
paniqué
paresseux
passif
passionné
peiné
perdant
perdu
perplexe
persécuté
pessimiste
piqué
préoccupé
présent
pressé
prêt
pris
pris au dépourvu
profiteur
protégé
prudent
puni

raisonnable
ralenti
rancunier
rassuré
récompensé
réconforté
reconnaissant

reconnu
reçu
rejoint
reposé
résistant
respecté
respectueux
responsable
révolté
rusé

saisi
sans pitié
satisfait
scandalisé
sceptique
séduit
sensible
seul
soulagé
soupçonné
soupçonneux
sous-estimé
soutenu
stimulé
stressé
stupide
sûr de soi
surpris
surprotégé
surveillé

tenace
tendre
tendu
tenté
tiraillé
tourmenté
trahi
triste
trompé

troublé

utile
utilisé

valorisé
victime
vide-vidé
vieux
visé
vulnérable

RÉPONSES DU DEUXIÈME EXERCICE

Cas nº 1
(Surprise.) « Ça te surprend que ton père ait fait ça. »

Cas nº 2
(Envie.) « Tu aurais aimé que ton père pense à toi avant de penser au voisin. »

Cas nº 3
(Fierté.) « Vous vous sentiez fier d'être grand-père. »

Cas nº 4
(Révolte.) « Ça vous révolte qu'il s'en prenne à votre fille pour vous atteindre. »

Cas nº 5
(Plaisir.) « Vous trouvez ça bon de sentir sa complicité. »

Cas nº 6
(Regret.) « Tu regrettes d'avoir dû quitter l'école tôt juste parce que tu étais l'aînée. »

Cas nº 7
(Inquiétude.) « Tu as un peu peur de la perdre parce que tu ne te sens pas tout à fait à la hauteur. »

Cas nº 8
(Déception.) « Ça te déçoit que ton père ne tienne pas sa parole. »

Cas nº 9
(Peur.) « Vous ne vous plaignez pas par peur des représailles. »

Cas nº 10
(Impatience.) « Il n'est pas facile à endurer. »

SUGGESTIONS DE RÉPONSES POUR LE CINQUIÈME EXERCICE

1. Ambivalent, tiraillé (l'humain est un être complexe...).

2. Bizarre, drôle, étrange, dérangé, bousculé (l'aidé se sent souvent habité par un sentiment qu'il n'a pas encore reconnu).

3. Coupable (il arrive souvent qu'on ne corresponde pas aux attentes de ses proches...).

4. Hésitant (il arrive souvent qu'on ait des résistances à surmonter ou à respecter, des apprivoisements à faire...).

5. À l'écart, différent, négligé, oublié, abandonné ; en plus intense : incompris, blâmé, puni, agressé (nous sommes ici sur la piste du rejet).

6. Accepté, reconnu, admiré, apprécié, entouré (sur la piste inverse de la reconnaissance et de l'acceptation).

7. Contrôlé, dominé, manipulé, récupéré, perdant (en situation de vivre l'affirmation de soi).

8. En deuil (en situation de s'ajuster à une perte).

CHAPITRE 7

LE DIAGNOSTIC ET SA PRATIQUE

Le modèle présenté au chapitre 3 prévoit une alternance entre le décodage empathique et le décodage objectif. Le décodage empathique consiste à ressentir le vécu de l'aidé tel que celui-ci l'exprime au moment présent. Quant au décodage objectif, il implique une distance critique par rapport aux verbalisations de l'aidé, et une formulation plus objective de son problème. Il y a cinquante ans, Carl Rogers disait déjà que l'approche de l'aidant consiste dans « un équilibre délicat entre l'identification et l'objectivité » (Rogers, 1940, 1992, p. 163).

Un aidé s'exprime comme suit : « J'ai un problème avec les femmes. Quand je rencontre une fille, ça marche bien au début. On s'entend bien, on a du plaisir ensemble, et souvent on se permet même de faire l'amour. Mais je ne suis jamais intéressé à la revoir plus de deux ou trois fois... »

Le décodage empathique prendra la forme d'un reflet et d'une reformulation : « Tes premiers contacts avec les femmes sont toujours agréables, mais ça t'inquiète de voir que ça ne dure jamais... » En contraste, le décodage objectif témoignera d'un plus grand recul, et pourra se présenter comme suit : « Son problème, c'est que la culpabilité qu'il éprouve face à la sexualité l'amène à rompre le contact avec ses partenaires. »

Tandis que le décodage empathique est fait *à ras de sol* et à l'intérieur de la subjectivité de l'aidé, le décodage objectif est fait un peu plus *à vol d'oiseau*, et davantage aussi dans les termes de l'aidant, qui sont souvent puisés dans son réservoir de connaissances en psychologie.

LA RÉSISTANCE AU DIAGNOSTIC

La mention du diagnostic soulève parfois des résistances, pour différentes raisons. D'abord, on associe le diagnostic à la psychiatrie et on se dit qu'on n'a pas la compétence pour identifier les différentes pathologies possibles. Ensuite, on voit dans le diagnostic une *étiquette* que l'aidant colle sur les aidés, et on se refuse à manipuler de telles étiquettes.

Enfin, le fait de questionner l'aidé sur son passé et sur son milieu actuel pour monter une *histoire de cas* risque de placer ce dernier dans un rôle passif, comme si l'aidant lui disait : « Quand j'aurai vraiment cerné ton problème, je te dirai comment le régler » (Rogers, 1970, vol. 1, p. 88-89).

Ces objections sont partiellement fondées. Mais s'il veut lui être de quelque utilité, l'aidant doit quand même comprendre ce qui se passe chez son aidé. Or, le diagnostic correspond justement à cette compréhension.

LE DIAGNOSTIC COMME HYPOTHÈSE

Le mot *diagnostic* signifie « action de discerner ». Le diagnostic est un processus par lequel l'aidant organise et interprète les informations verbales et non verbales émises par l'aidé, pour en arriver à saisir l'essentiel du vécu de celui-ci. Établir un diagnostic, c'est donc mettre des mots sur ce que l'on entend et ce que l'on voit, ou encore, c'est se demander à qui on a affaire, et y répondre en une phrase !

S'il est bon de prendre conscience du diagnostic que l'on utilise implicitement, c'est que celui-ci peut être erroné, ou du moins manquer de précision. Reportons-nous à l'exemple utilisé plus haut de l'aidé qui se disait incapable de poursuivre une relation avec une femme.

L'aidant pourrait se dire : « Il a un problème avec sa sexualité », ou : « Il a un problème de communication avec les femmes. » Ces diagnostics pourraient ne pas être faux, mais ils sont tellement généraux qu'ils risquent de n'être d'aucune utilité. Le diagnostic présenté plus haut était plus précis : « La culpabilité que l'aidé éprouve face à sa sexualité l'amène à rompre le contact avec ses partenaires. »

Ce diagnostic est plus précis, mais il a en même temps plus de risques d'être faux ! Il est vrai que beaucoup de gens se sentent coupables d'avoir des relations sexuelles et que cette culpabilité les amène à éviter les partenaires potentiels. Mais est-ce bien le cas pour notre aidé ? On peut imaginer un autre scénario : « Son problème, c'est que l'intimité dont il fait l'expérience dans ses nouvelles relations le menace tellement dans son identité fragile qu'il se voit inconsciemment forcé d'y mettre un terme. »

Nous nous retrouvons ainsi en présence de deux diagnostics précis, l'un portant sur la culpabilité et l'autre, sur l'identité menacée. Cela nous aide à comprendre que le diagnostic n'est toujours qu'une *hypothèse* que l'aidant formule relativement au problème de l'aidé.

Cette hypothèse peut être plus ou moins probable, allant de la simple impression (habituellement en début d'entrevue) jusqu'à la quasi-certitude (lorsque l'aidant est plus expérimenté ou que l'aidé lui a livré davantage d'informations). Le fait que le diagnostic ne soit toujours qu'une hypothèse va à l'encontre de l'objection de l'*étiquette* que l'aidant imposerait à son aidé. Une étiquette se présente comme un jugement *définitif* et sans appel, tandis que le diagnostic n'est qu'une hypothèse provisoire que l'aidant formule afin d'accroître sa compréhension de l'aidé.

Plus l'aidant a acquis un savoir psychologique étendu, moins il risque d'être prisonnier d'une hypothèse unique. La capacité de faire un bon diagnostic augmente donc au fur et à mesure que l'aidant développe ses connaissances et accumule de l'expérience.

LE DIAGNOSTIC COMME PROCESSUS

Ainsi entendu, le diagnostic devient « une sérieuse obligation pour l'aidant » (Kennedy et Charles, 1990, p. 121). J'ai d'ailleurs souvent remarqué, en supervisant des aidants en formation, que la perti-

nence et l'efficacité de leurs interventions étaient directement pro-
portionnelles au degré de précision de leur diagnostic.

Les aidants qui font un bon diagnostic ont une meilleure idée
de ce qui se passe et de ce qui devrait se passer pour que l'aidé
progresse dans son exploration. Ils sont donc à même de refléter
les bons sentiments, de focaliser sur le bon matériel et de proposer
des interprétations stimulantes.

À l'inverse, les aidants qui n'ont qu'une vague idée du problème
de leur aidé utilisent le reflet et la focalisation au hasard, et ont ainsi
peu d'impact sur le processus exploratoire de cet aidé. Il importe
donc d'apprendre à établir de bons diagnostics.

Au surplus, les aidants qui saisissent bien la dynamique de l'aidé
ont plus de chances de se montrer accueillants à son endroit, tandis
que ceux qui n'ont pas établi de diagnostic risquent d'être davantage évaluatifs. S'il en est ainsi, c'est que ces derniers ne voient que
les symptômes, souvent dysfonctionnels, tandis que les premiers
sont en mesure de relier ces symptômes à la souffrance qui en est
la source.

Le diagnostic possède ainsi une valeur immunitaire : tant que
nous ne l'avons pas nommé clairement, le vécu de l'aidé risque
d'être contagieux, et nous sommes exposés à son anxiété, à son
hostilité, à son impuissance, à sa dépression... Nous ne pouvons
faire autrement, alors, que de creuser la distance entre lui et nous.

À l'inverse, lorsque nous comprenons avec quoi l'aidé est aux
prises et quel est son problème, nous devenons davantage capables
à la fois de le respecter dans sa souffrance et de l'aider à s'en
dégager.

LE DIAGNOSTIC COMME HABILETÉ

L'établissement d'un diagnostic est une démarche de compréhension qui est susceptible d'évoluer au fil de l'entretien ou des
entretiens. Mais c'est en même temps une habileté qui s'acquiert et
se développe. Pour faciliter cet apprentissage, nous distinguerons
dans les paragraphes qui suivent cinq sous-habiletés requises pour
formuler un bon diagnostic.

La première habileté

Le diagnostic du médecin diffère de celui de l'aidant, notamment en ce qui a trait à la collecte des informations. Le médecin va chercher lui-même les informations dont il a besoin, d'abord en écoutant le patient raconter son problème, mais ensuite en posant plusieurs questions de nature objective (nous dirions des *questions fermées*).

À la différence du médecin, l'aidant se contente de tirer parti des informations que son aidé lui communique spontanément par ce qu'il exprime et par sa façon de se comporter. C'est là sa première habileté.

Cette distinction est importante dans la mesure où elle permet à l'aidant de demeurer centré sur la relation qui est en train de se construire entre lui et son aidé, de même que sur l'univers subjectif de ce dernier, plutôt que sur le problème objectif que celui-ci expose.

Plutôt que de questionner son aidé, l'aidant tente de répondre par lui-même à la question qu'il garde toujours en tête : « Qu'est-ce que mon aidé me dit sur lui-même et sur son problème lorsqu'il s'exprime comme il le fait actuellement ? »

La deuxième habileté

Une deuxième habileté consiste dans la capacité de distinguer entre le problème que l'aidé formule au début de l'entretien et le problème réel tel qu'il se dévoilera par la suite. Pour se protéger contre des prises de conscience douloureuses, l'aidé est en effet porté à limiter l'ampleur de son problème, ou encore à le formuler en des termes qui en attribuent la responsabilité à d'autres ou aux circonstances de la vie (« Mon problème, c'est que l'autobus passe toujours avant que j'arrive à l'arrêt... », plutôt que : « Mon problème, c'est que je m'organise mal le matin... »).

Un aidant habile évitera ce piège, et tentera de saisir le problème réel qui se cache sous le problème formulé. On peut illustrer cette habileté par le diagnostic suivant :

| Aidé | Personne ne m'aime. |
| Aidant *(intérieurement)* | Mon problème, c'est que je ne me laisse aimer par personne... |

La troisième habileté

Une troisième habileté consiste pour l'aidant à tirer parti de ses connaissances et de son expérience pour éclairer la situation à laquelle il se trouve présentement confronté. Cette démarche se fonde sur le présupposé selon lequel les aidés sont en partie semblables les uns aux autres. L'aidant a déjà lu des recherches qui mettaient en lumière des types de fonctionnement semblables à celui que son aidé manifeste actuellement. Ou il a déjà accompagné des aidés qui avaient des problèmes similaires...

Une bonne question à se poser est alors la suivante : « À qui la personne que j'ai devant moi ressemble-t-elle ? », ou encore : « À quoi cette façon de fonctionner me fait-elle penser ? »

Ce faisant, l'aidant n'est pas à la recherche d'une étiquette qu'il pourra plaquer sur son aidé, pour pouvoir ensuite se dispenser de faire l'effort de le comprendre. Au contraire, il se met à la recherche d'une piste qui lui permettra de faire la lumière sur le fonctionnement de cette personne et de réussir ainsi à mieux se mettre à son écoute.

La quatrième habileté

Une quatrième habileté consiste à formuler le diagnostic de manière à donner à l'aidé de l'emprise sur son problème. Prenons le cas d'un aidé qui se plaint longuement de ses insuccès auprès des femmes d'aujourd'hui, qu'il trouve « plus compliquées que les femmes d'avant ».

On pourrait formuler le diagnostic suivant : « Son problème, c'est que le féminisme a rendu les femmes d'aujourd'hui plus exigeantes qu'avant. » Mais un tel diagnostic n'aurait pour effet que d'ancrer davantage l'aidé dans son sentiment d'impuissance.

Un meilleur diagnostic se formulerait comme suit : « Son problème, c'est que ses attitudes *machistes* font fuir les femmes. » Un aidant qui interviendrait à partir d'un tel diagnostic serait plus porté à confronter son aidé à la part active qu'il prend dans son problème. Car s'il est vrai que l'aidé ne peut pas changer « les femmes d'aujourd'hui », il peut, par contre, entreprendre de modifier sa propre approche à l'endroit de ces femmes.

C'est dans ce sens que la façon de formuler le diagnostic peut faire une différence dans la manière dont l'aidant abordera le problème qui lui est soumis, communiquant alors à son aidé qu'il dispose de plus ou moins de pouvoir pour solutionner son problème.

Autre exemple : « Mon problème, c'est que mon mari est parti refaire sa vie avec une autre » (position de victime) versus : « Mon problème, c'est que j'ai à faire le deuil de mon couple » (formulation qui met l'aidée en situation de se mobiliser).

La cinquième habileté

Un bon diagnostic véhicule une compréhension simple du problème de l'aidé. Un problème peut être difficile à vivre et la mise en œuvre de sa solution peut s'avérer complexe. Mais la formulation comme telle de ce problème peut souvent se faire en termes simples et concis.

Voici quelques exemples : « Mon problème, c'est de décider si j'interromps ma grossesse ou si je la mène à terme » ; ou : « Mon problème, c'est que ma tendance à me culpabiliser m'empêche de faire un choix éclairé en ce qui concerne la possibilité d'interrompre ma grossesse », ou encore : « Les pressions contraires de mon partenaire et de mes parents face à la possibilité d'un avortement m'empêchent de voir ce que je désire vraiment. »

Dans ces trois cas, on devine que le problème peut être complexe, mais le diagnostic comme tel tient en une phrase relativement courte. C'est là la cinquième habileté, qui consiste à camper en une phrase simple et claire le problème de l'aidé.

Un bon diagnostic est à la fois précis et englobant. Le terme *précis* signifie qu'un aidant efficace appelle les choses par leur nom. Il ne dira pas, par exemple : « Son problème, c'est qu'elle a une décision difficile à prendre », mais : « Son problème, c'est de décider si elle interrompt ou non sa grossesse. »

Quant au terme *englobant*, il ne signifie pas « complet » : le diagnostic n'est pas un résumé des difficultés de l'aidé. Le terme *englobant* signifie que c'est la difficulté principale de l'aidé que le diagnostic met en évidence, au besoin dans le contexte de l'ensemble de son fonctionnement. Par exemple, la deuxième formulation évoque directement la tendance de l'aidée à se sentir facilement coupable, et la troisième formulation évoque rapidement les pressions contradictoires du partenaire et des parents qui s'exercent simultanément sur elle.

Cette cinquième habileté est d'autant plus importante que — nous l'avons vu plus haut — la pertinence et l'efficacité des interventions de l'aidant sont souvent fonction du degré de précision qu'il a réussi à atteindre dans la formulation de son diagnostic.

DEUX EXEMPLES DE DIAGNOSTIC

Prenons le cas d'une aidée qui dit se sentir responsable du fait que son ex-conjoint néglige ses enfants, ce qui entraîne chez ces derniers des pleurs et de l'agressivité. Elle se demande si ses enfants lui reprocheront plus tard d'avoir quitté leur père.

Face à cette situation, l'aidante formule le diagnostic suivant : « Je vis une grande peine en voyant mes enfants vivre le deuil de leur père vivant. » Comme il arrive fréquemment chez des aidants en formation, ce diagnostic fait ressortir un sentiment qui a été effectivement exprimé par l'aidée. Cependant, ce sentiment n'est pas le plus important, ou, en d'autres termes, la tristesse n'est pas le problème principal de l'aidée.

Un meilleur diagnostic serait : « Mon problème, c'est que j'ai besoin de me confronter à ma culpabilité. » On retrouve ici les différentes habiletés qui entrent dans la formulation d'un bon diagnostic :

1. On a utilisé les informations qui ont été spontanément communiquées par l'aidée.

2. On a distingué entre le problème formulé (l'aidée dit se sentir responsable et inquiète) et le problème réel (elle se sent en fait coupable).

3. On a tiré parti de son expérience antérieure (quel aidant n'a pas observé un peu de culpabilité de la part d'un parent divorcé ?).

4. On a formulé le problème de manière à donner à l'aidée de l'emprise sur son problème (si celle-ci a besoin de se confronter à sa culpabilité, elle dispose des moyens pour le faire).

5. Enfin, on a campé en une phrase simple et claire le problème principal de cette aidée.

QUELQUES SOUS-QUESTIONS

Pour en arriver à compléter adéquatement la phrase : « Son problème, c'est... », l'aidant peut recourir à un certain nombre de sous-questions :

1. Qu'est-ce qui se passe dans la vie de cet aidé ? Quelles sont les pressions qui s'exercent sur lui actuellement ?

2. Comment cette personne fonctionne-t-elle ? Comment a-t-elle appris à se protéger et à manœuvrer dans les crises ?

3. Comment perçoit-elle son univers et les gens qui l'entourent ?

4. Qu'est-ce qu'elle dit sur elle-même quand elle s'exprime et se comporte comme elle le fait ?

5. Où est-ce que ça fait mal ? Comment l'aidé réagit-il à cette douleur ?

6. L'aidé est-il en train de réagir à une perte, ou est-il en train de se préparer à une perte ? Si oui, laquelle et comment ?

L'aidant n'a évidemment pas à répondre à toutes ces questions dès les premières minutes de l'entretien. Certaines informations nécessaires pour répondre à quelques-unes de ces questions ne deviendront disponibles qu'à mesure que l'aidé s'engagera dans sa démarche.

Mais ces questions sont des points de repère permettant de faire plus facilement et plus rapidement une hypothèse provisoire sur le problème de l'aidé, et donc de stimuler plus efficacement chez celui-ci l'exploration de sa situation personnelle. Chaque aidant pourra découvrir à l'usage quelles sont les questions qui lui sont les plus utiles.

UN EXERCICE

Le lecteur intéressé à acquérir ou à développer les différentes habiletés reliées à la formulation du diagnostic peut se reporter aux cas présentés au chapitre 2. Il s'agit simplement de relire la présentation de chacun des huit cas (en faisant abstraction des réponses de l'aidant), et de compléter la phrase suivante sur une feuille à part, en se mettant à la place de l'aidé :

— Cas n° 1 : « Mon problème, c'est que... »

— Cas n° 2 : « Mon problème, c'est que... »

— Etc.

Lorsque cette démarche individuelle se fait au sein d'un groupe, on peut ensuite revenir en groupe sur chaque cas et comparer les différentes formulations individuelles à la lumière des caractéristiques d'un bon diagnostic telles qu'elles ont été formulées plus haut.

Cela fait, on pourra se reporter aux pages suivantes, qui présentent deux diagnostics possibles pour chacun des huit cas, suivis d'un bref commentaire. (Il y a deux diagnostics par cas en raison du fait que l'aidant hésite souvent, au début de l'entretien, entre deux versions possibles — ou plus ! — du problème de son aidé. Se reporter maintenant au chapitre 2.

Cas n° 1   « Mon problème, c'est que je dois quitter une maison à laquelle je suis très attachée. »

« Mon problème, c'est que je me sens obligée de quitter ma maison. »

Dans le premier diagnostic, l'aidant fait l'hypothèse que le problème principal de son aidée est de s'apprivoiser à une rupture pénible. Dans le deuxième, il a recueilli des indices qui l'amènent à croire que l'aidée s'oblige à quitter sa maison, probablement à cause de l'image qu'elle a d'elle-même et de ses idées sur ce qu'il convient de faire lorsqu'on est âgé.

Cas nº 2   « Mon problème, c'est que je ne sais pas comment intervenir sans blesser ma fille. »

« Mon problème, c'est d'apprendre à vivre avec les choix de ma fille. »

Selon le premier diagnostic, l'aidée tient pour acquis qu'elle doit intervenir, et son problème se situe au niveau du « comment » de cette intervention, alors que le deuxième diagnostic laisse entendre qu'elle doit se remettre en question dans sa façon de réagir au comportement de sa fille.

Ce cas, de même que le précédent, nous montre que la formulation du diagnostic n'est pas toujours sans refléter les valeurs de l'aidant. On peut en effet présumer qu'un aidant favorable à l'institution du mariage privilégiera le premier diagnostic, tandis qu'un aidant favorable à la liberté sexuelle privilégiera le second.

Un meilleur diagnostic serait peut-être quelque chose comme : « Mon problème, c'est que je ne sais pas si c'est ma fille ou moi qui a raison. » (Dans ce dernier cas, ce diagnostic pourrait en même temps constituer un bon reflet.)

Cas nº 3   « Mon problème, c'est que mon insécurité me bloque. »

« Mon problème, c'est que je me laisse bloquer par mon insécurité. »

On a ici un exemple de la façon dont, avec le deuxième diagnostic, l'aidant a plus de chances d'amener son aidé à se réapproprier sa responsabilité face à son problème.

Cas nº 4   « Mon problème, c'est de trouver une façon d'amener ma fille à cesser de mouiller son lit. »

« Mon problème, c'est de concilier mon travail à l'extérieur et mon rôle de mère. »

Même phénomène que dans le cas précédent. Selon le premier diagnostic, le problème de l'aidée est situationnel et extérieur à elle-même, tandis que le deuxième diagnostic est formulé de manière à confronter l'aidée à la perception qu'elle se fait d'elle-même dans ses rôles de travailleuse et de mère.

Cas nº 5   « Mon problème, c'est que je n'ose pas dire à mon gendre comment je me sens face à son comportement. »

« Mon problème, c'est que je ne suis pas capable de dire non quand quelque chose ne me convient pas. »

Le premier diagnostic se limite au problème présent, tandis que le second est plus englobant, et donc plus susceptible d'amener l'aidé à prendre conscience de son fonctionnement habituel. En début d'entrevue, il peut être difficile de voir si le problème de l'aidé se limite à son gendre, ou si c'est chez lui une façon habituelle de fonctionner. On peut à ce moment garder les deux diagnostics en réserve, jusqu'à ce que des informations ultérieures viennent confirmer l'un ou l'autre... ou en faire émerger un troisième !

Cas nº 6   « Mon problème, c'est que je ne sais pas si je devrais ou non avancer de l'argent à mon fils. »

« Mon problème, c'est que ça me fatigue d'avoir un fils qui ne se prend pas en main. »

Même phénomène qu'au cas précédent. Il est difficile ici de déterminer si le problème principal de l'aidé porte sur la décision immédiate qu'il a à prendre, ou sur sa frustration chronique à l'endroit de la dépendance de son fils, dont la dernière demande n'est qu'un exemple de plus.

Cas nº 7   « Mon problème, c'est que ma peur de faire de la prison m'empêche d'aller au bout de mes convictions. »

« Mon problème, c'est de clarifier mon malaise face à ma contribution aux armements. »

Ici, le deuxième diagnostic invite l'aidé à prendre du recul par rapport aux conséquences possibles d'un geste précis, pour se situer dans des perspectives plus larges face à son malaise.

Cas nº 8   « Mon problème, c'est que mon conjoint et moi, on ne se décide pas à mettre notre fils dehors. »

« Mon problème, c'est que mon conjoint et moi, on démissionne face à notre fils, plutôt que de négocier avec lui. »

Pour choisir entre ces deux diagnostics, l'aidant peut simplement les présenter à l'aidée et lui demander lequel des deux lui semble formuler le mieux son problème. Le diagnostic est d'ordinaire réservé à l'usage interne de l'aidant, mais il arrive souvent que le fait de le présenter à l'aidé permette à ce dernier de faire un pas en avant dans la compréhension de sa situation.

CHAPITRE **8**

LE REFLET ET
LA FOCALISATION

L e reflet et la focalisation représentent les
deux outils principaux de l'aidant. Mais
avant d'en examiner les différents usages, jetons d'abord un coup
d'œil au phénomène des émotions (voir Safran et Greenberg, 1991,
p. 3-15).

LES ÉMOTIONS

La dynamique des émotions

Loin d'être des phénomènes irrationnels et nuisibles, les émotions
ont été transmises par l'évolution grâce à leur capacité de faciliter
le fonctionnement des humains. Elles interviennent en effet pour
assurer la satisfaction de leurs besoins, en orientant leur motivation.

Les émotions renseignent le sujet sur ce qui lui arrive. Par
exemple, sur sa disposition à faire confiance ou à se méfier, à
attaquer ou à fuir, à considérer tel événement comme un gain ou
comme une perte... Un sujet qui n'est pas en contact avec ses
émotions se coupe donc d'une source d'information stratégique, et
s'expose ainsi à un comportement moins adapté.

Même si l'émotion comme telle s'impose d'elle-même, la réaction du sujet à son émotion se trouve normalement tempérée par
sa perception des réactions prévisibles de son environnement.
Cette réaction n'est donc pas un pur réflexe, mais elle est déjà un
processus émotivo-cognitif.

On distingue généralement six émotions de base, soit la peur, la colère, la tristesse, la surprise, le dégoût et la joie. Indépendamment de l'époque et de la culture, ces émotions se trouvent associées à un ensemble de réactions physiologiques, faciales, posturales et vocales qui leur sont propres.

Par l'intermédiaire de ces indices, les émotions représentent donc un langage non verbal qui permet au sujet à la fois de communiquer spontanément des informations sur ses dispositions, et de décoder rapidement aussi les dispositions de ses proches.

Ces messages peuvent être émis et captés à l'insu à la fois de l'émetteur et du récepteur. Le sujet peut donc améliorer sa communication en devenant davantage conscient à la fois des émotions qu'il communique et de celles qui lui sont communiquées.

Les émotions intenses laissent des traces. Certains événements actuels se trouvent associés pour le sujet à des événements passés. Les émotions éprouvées lors de ces événements passés risquent alors de venir colorer sa perception des événements présents, et donc sa réaction émotive face à ceux-ci.

Les émotions peuvent aussi provenir d'un besoin non reconnu. Le sujet a donc parfois intérêt à s'interroger sur la provenance de l'émotion qui l'habite, de manière à pouvoir réagir à cette émotion d'une façon plus adaptée.

Une émotion qui est ressentie est une émotion qui tend à s'exprimer. Il s'ensuit que le fait de retenir inconsciemment une émotion a pour conséquence de détourner une partie de son énergie et de s'empêcher de se consacrer pleinement à sa tâche présente.

Le champ expérientiel

Cette brève synthèse nous permet de comprendre l'importance centrale des émotions ou des sentiments dans la démarche de relation d'aide. (Nous utilisons ici ces deux termes d'une façon équivalente.)

On peut clarifier le phénomène des émotions en parlant du *champ expérientiel* (ou *champ perceptuel*) de l'aidé. Ce champ correspond à l'univers subjectif de l'aidé, c'est-à-dire à la conscience qu'il éprouve de ce qui se passe en lui et autour de lui.

L'humain est un être complexe, qui se trouve soumis simultanément à une foule de stimuli. Au surplus, son histoire personnelle est tissée d'expériences qui viennent colorer sa réaction à ce qu'il vit au présent.

Enfin, certaines des réactions de l'être humain demeurent enfouies sous le seuil de sa conscience. S'il en est ainsi, c'est en partie parce que ces réactions sont menaçantes, et en partie parce qu'elles sont encore en train de prendre forme en lui.

Ces phénomènes contribuent à donner au champ expérientiel ce qu'on pourrait appeler une *structure géologique*. On serait ainsi en présence d'un terrain constitué de couches superposées, représentant chacune un état affectif différent.

Illustrons ces phénomènes à l'aide d'un exemple. L'aidé vient d'apprendre que sa conjointe a entrepris des démarches juridiques en vue d'un divorce. La figure 8 illustre la façon dont son champ perceptuel pourrait être structuré.

Faisons l'hypothèse que l'aidé perçoit clairement la présence des deux premiers sentiments, soit la stupeur et le désarroi, qu'il est partiellement en contact avec le sentiment suivant, soit la colère, qu'il n'est en contact avec sa tristesse que d'une façon vague et fugitive, et qu'il n'a pas accès pour l'instant aux autres sentiments sous-jacents (soulagement, sentiment d'échec, etc.).

À strictement parler, le champ perceptuel ne serait constitué que des quatre premières couches (stupeur, désarroi, colère et tristesse), puisqu'il équivaut au champ de conscience.

Nous avons utilisé indifféremment jusqu'ici les expressions *champ perceptuel* et *champ expérientiel*. Mais on peut distinguer entre ces deux concepts. Par exemple, quelqu'un peut avoir un comportement agressif sans être conscient de sa colère. Dans un tel cas, la colère se trouverait tout au fond de son champ. Elle appartiendrait à son expérience (et donc à son *champ expérientiel*), mais elle n'aurait pas encore émergé à la surface de son *champ perceptuel*.

Figure 8   Une coupe du champ expérientiel

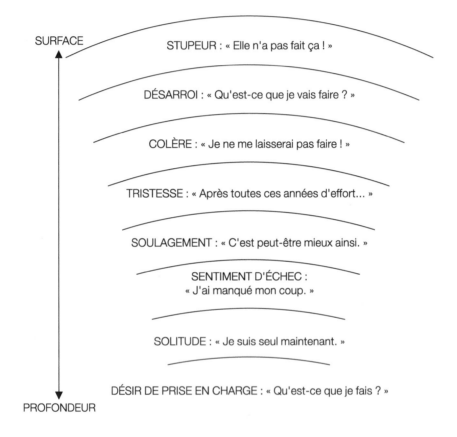

Le champ présente donc différents niveaux de profondeur et, comme pour un observateur qui navigue sur un lac, les éléments deviennent moins perceptibles à mesure qu'ils sont situés loin de la surface.

Il est peut probable que le sujet de notre exemple ait accès à toutes les couches de sentiments qui constituent son champ. Pour qu'il puisse entrer en contact avec les couches plus profondes, il faut d'abord qu'il soit passé par les couches plus superficielles.

Comme on l'a vu au chapitre 5, cela implique à la fois une prise de conscience et une expression. Or, ce dernier terme est à prendre au sens littéral d'*ex-pression*, c'est-à-dire de « laisser aller de la pression ». Pour cheminer dans l'exploration et la prise en charge de son champ expérientiel, l'aidé a donc besoin qu'on lui facilite le contact successif avec chacune des couches constituant ce champ. C'est dans ce sens qu'aider quelqu'un, c'est essentiellement l'accompagner dans l'exploration des différents éléments de son vécu.

LE REFLET

Exemples de reflets

Le reflet consiste à distinguer et à nommer le sentiment qui affleure à la surface du champ expérientiel. Prenons l'exemple de quelqu'un qui serait triste, et à qui on pourrait refléter ce sentiment de différentes façons :

— « Je te sens triste. »

— « Ce n'est pas gai, ce que tu dis. »

— « Ça ne doit pas être facile de vivre ça. »

— « D'une certaine manière, ça doit t'atteindre… »

— « C'est comme si ça te laissait un goût de tristesse… »

— « Je sens que, si tu ne te raisonnais pas, tu aurais le goût de pleurer… »

— « Tu n'en fais pas un drame, mais en même temps, ça te fait mal. »

— « C'est comme si ça te faisait vivre un deuil… »

Ces interventions ont en commun le fait d'être brèves, d'être formulées en termes facilement compréhensibles et d'exprimer clairement le sentiment en question. On peut imaginer d'autres formulations ou d'autres images qui permettraient de bien refléter la tristesse.

Différentes fonctions du reflet

Un aidant habile utilise le reflet de différentes façons, en fonction de l'impact précis qu'il veut avoir sur le processus exploratoire suivi par son aidé. Dans les paragraphes qui suivent, nous examinerons ces différents objectifs.

1. Permettre à l'aidé de clarifier son vécu immédiat

C'est la fonction de base du reflet, qui est surtout d'ordre cognitif : on tente d'amener l'aidé à prendre conscience de l'émotion qui l'habite, et à s'ouvrir à ce que cette émotion peut avoir à lui dire. Par exemple, si l'aidé a peur, c'est que quelque chose le menace. S'il est triste, c'est que quelque chose l'a blessé. S'il est en colère, c'est que quelqu'un lui entrave la route ou lui manque de respect, etc.

Voici un exemple d'intervention : « En vous écoutant parler, c'est comme si je vous sentais déçue d'avoir été fêtée de cette façon. »

2. Reconnaître le sentiment exprimé par l'aidé

C'est seulement quand il sent que l'émotion qu'il a exprimée a été reconnue par l'aidant que l'aidé se sent libre de continuer son exploration. Autrement, il revient à la charge et pourra répéter plusieurs fois dans l'entretien le message qui n'a pas été reçu, comme si l'insensibilité de son aidant le rendait prisonnier de cette émotion.

Les reflets qui visent cet objectif présentent la même forme que ceux qui visent à favoriser une prise de conscience. Par exemple : « Ça t'a fait mal », « Ça vous surprend », « Tu te sens perdu. »

3. Vérifier si on a bien compris l'aidé

Il arrive que l'aidant ne soit pas sûr du véritable sentiment éprouvé par l'aidé. Pour éviter tout malentendu et pour être en mesure de bien saisir ce qui est à venir, il utilisera alors un reflet doublement hypothétique (puisque tout reflet est déjà une hypothèse). Par exemple : « Ça t'a fait mal ? », « Ça vous surprend ? », « Tu te sens perdu ? »

4. Permettre à l'aidé d'accéder à une émotion sous-jacente

Lorsque l'aidé semble prisonnier de l'émotion de surface, une bonne utilisation du reflet pourra lui permettre d'accéder à l'émotion sous-jacente. C'est ce qu'on appelle parfois le *reflet-élucidation* (Kinget et Rogers, 1965, p. 93). Dans d'autres cas, il est évident que l'aidé est bien en contact avec son émotion de surface. L'aidant peut communiquer par son regard qu'il a enregistré ce fait, ce qui rend inutile le reflet de cette émotion. Il peut alors se centrer sur l'émotion sous-jacente. Par exemple : « Vous vous dites déçue qu'on ait improvisé votre fête à la dernière minute, mais en même temps, je vous sens un peu fâchée. Est-ce que je me trompe ? »

5. Mettre l'aidé en déséquilibre

Un bon reflet est souvent soulageant, parce qu'il est libérant de se comprendre et de se sentir compris. Mais un reflet *bien aiguisé* peut aussi être menaçant, de par la prise de conscience qu'il vise à provoquer, ce qui devient alors une confrontation.

Par exemple, un aidé se plaint du fait que sa femme travaille maintenant à l'extérieur du foyer : « Les femmes d'aujourd'hui sont prêtes à tout faire au nom de leur fameuse *indépendance financière*… » Le voyant incapable de détecter la source de sa frustration, son aidant utilise le reflet : « Ce n'est pas facile de continuer d'être le protecteur d'une femme qui ne veut plus être protégée. »

Ce reflet est bousculant dans la mesure où il amène l'aidé à accéder à son sentiment de détresse et à percevoir la nécessité de rebâtir son couple sur des bases plus égalitaires.

6. Ralentir le rythme du processus exploratoire

Le rôle principal de l'aidant est d'activer le processus exploratoire suivi par son aidé. Mais s'il devient trop rapide, ce processus risque de devenir douloureux et, à la limite, improductif. Cela risque de se produire après une série de reflets aiguisés, de focalisations et de confrontations.

Un reflet plus englobant, moins *pointu*, permettra alors de remettre délicatement à l'aidé la maîtrise du rythme de sa démarche. L'aidant dira, par exemple : « Au fond, les choses ont bien changé depuis quelques mois, et vous vous seriez bien passé de ça… » Avec un tel reflet, l'aidant y perd en précision, mais il ouvre un espace permettant à l'aidé de reprendre son souffle.

7. Rassurer l'aidé en dédramatisant son vécu

Un bon reflet évite les jugements de valeur. On dira : « Vous avez acquis une dépendance à l'alcool », plutôt que : « Vous êtes esclave de la bouteille » ; ou : « Vous ne vous sentez pas le courage de lui dire la vérité », plutôt que : « Vous avez le goût de lui conter un mensonge. »

De telles formulations ont pour effet de *donner la permission* à l'aidé de se sentir comme il se sent, et l'encouragent à accéder à ce qui fait problème dans son vécu actuel. Le message implicite d'un bon reflet est ainsi le suivant : « Vous avez le droit d'avoir un problème, vous avez le droit de vous sentir comme vous vous sentez : coupable, faible, affolé, envieux... »

L'énumération qui précède n'est pas exhaustive, et un même reflet peut avoir plus d'un type d'impact en même temps. On arrive ainsi à la conclusion que plus l'aidant comprend ce qui se passe (plus son diagnostic est précis, donc), plus il a de chances d'opter pour une intervention pertinente et efficace.

Réactions au reflet

L'impact du reflet varie en fonction de différents facteurs : formulation, moment où le reflet est utilisé et, surtout, niveau du sentiment reflété. Les réactions de l'aidé peuvent prendre l'une des formes suivantes :

— il se sent légèrement impatient, si l'aidant ne fait que lui retourner platement un sentiment évident (il pensera en lui-même ou exprimera non verbalement : « Oui, c'est ce que je viens de dire ») ; cette réaction tend à diminuer son implication ;

— il sent qu'il ne s'est pas bien fait comprendre, et il tente de s'exprimer plus clairement ;

— il se sent bien compris, ce qui le stimule à poursuivre son exploration ;

— il se sent mieux compris qu'il ne se comprenait lui-même jusqu'ici (il pourra, par exemple, s'exclamer : « C'est en plein ça ! »), ce qui a un effet très stimulant sur sa démarche ;

— il se sent précédé par l'aidant dans sa compréhension de lui-même, ce qui lui demande un effort pour accéder à son vécu et pour le nommer ; il pourra se taire un moment, puis dire lentement, sur un ton réflexif : « Oui, en y repensant bien, j'ai l'impression que ça me dit quelque chose... » ; ce type de reflet est évidemment très productif aussi (voir Rogers et Sanford, 1985, p. 1378).

LA FOCALISATION

Différentes fonctions de la focalisation

Un reflet qui porte sur le sentiment ou le comportement pertinent et qui est bien formulé est de nature à stimuler le processus exploratoire de l'aidé. Il arrive cependant que même si ce qui a été exprimé a été bien reflété, l'aidé se retrouve en panne, comme s'il ne savait plus où aller à partir de là.

C'est à ce moment que la focalisation devient utile, pour réactiver le processus exploratoire. Tout comme le reflet, la focalisation peut être utilisée de différentes façons, en fonction des circonstances et de l'effet désiré. Voici ses principales fonctions.

1. Interrompre les verbalisations déconnectées

Il arrive, surtout en début d'entrevue, où il a plus de risques d'être mal à l'aise ou de résister, que l'aidé se trouve prisonnier d'un enchaînement de verbalisations déconnectées de leur charge affective. La focalisation peut alors aider à arrêter le flot de paroles pour inviter l'aidé à accéder à ce qu'il éprouve actuellement face à son problème : « Ce que tu es en train de me raconter doit être important pour toi, puisque tu me donnes beaucoup de détails. Peux-tu faire silence pendant quelques instants et me dire ce que ça te fait vivre de me parler de tout ça ? »

2. Faire passer de l'émotion de surface à l'émotion sous-jacente

L'aidé a souvent besoin qu'on le détache délicatement de l'émotion dont il semble prisonnier, pour le centrer sur l'émotion non reconnue que la première sert souvent à masquer, comme c'est souvent le cas de la colère, voilée par la tristesse. Par exemple : « Vous dites que vous êtes triste, mais j'ai l'impression d'entendre autre chose sous cette tristesse. Pouvez-vous essayer de voir ce que ça pourrait être ? »

3. Aider à retracer l'origine du sentiment

Un sentiment qui a été correctement mis en lumière demande encore à être mis en perspective, pour que l'aidé puisse y faire face d'une façon adéquate. Autant il est peu utile de savoir tant qu'on ne sent pas, autant l'inverse peut être vrai. Par exemple, l'aidé peut bien sentir son hostilité, mais il ne pourra pas y faire face de façon constructive tant qu'il n'aura pas détecté la cible exacte de cette colère. L'aidant pourra dire : « Vous avez réalisé que sous votre tristesse se cache une grande colère. Pouvez-vous essayer de voir contre qui cette colère est dirigée ? »

Une aidée qui se disait féministe et qui éprouvait de la colère contre les hommes sexistes s'aperçut ainsi que cette colère était plutôt dirigée contre son ex-mari qui l'avait longtemps dominée. Mais à l'aide de focalisations, elle s'aperçut finalement qu'elle dirigeait au moins une partie de cette colère contre elle-même : elle s'en voulait de s'être complu si longtemps dans un rôle de victime qu'elle entretenait en fait, selon elle, pour ne pas avoir à se prendre en main.

4. Permettre à l'aidé de se réapproprier son problème

L'aidé a souvent tendance à situer son problème à l'extérieur de lui. La focalisation visera ici à l'amener à découvrir ce que ce problème lui apprend sur lui-même, à établir un lien entre son fonctionnement personnel ou des gestes qu'il a posés et les résultats qu'il déplore aujourd'hui.

Par exemple, un homme se plaint d'avoir perdu trois emplois en moins d'un an. L'aidant lui demande : « Avez-vous l'impression qu'il s'agit d'un concours de circonstances, ou si cela attire votre attention sur quelque chose dans votre comportement ? »

Dans d'autres cas, il suffira de simples questions comme : « De quoi ça pourrait dépendre, selon toi ? », ou : « Vous êtes-vous déjà demandé ce qui vous fait réagir si fortement, dans cette situation ? »

5. Permettre de résumer le matériel amené par l'aidé

Il arrive, surtout dans la deuxième partie de l'entretien, que la diversité des pistes ouvertes commence à encombrer le paysage et que l'aidé ait intérêt à se situer face à tout ce matériel. L'aidant peut alors prendre l'initiative de résumer ce qui semble ressortir, mais il peut aussi inviter son aidé à le faire lui-même. Une telle démarche a l'avantage de garder l'aidé dans un rôle plus actif, et aussi de faire ressortir des points qui sont importants à ses yeux et qui n'auraient pas été retenus par son aidant. Par exemple : « On a ouvert plusieurs portes cet après-midi. Pourriez-vous résumer ce que vous avez le goût de retenir de tout ça ? »

6. Faciliter l'élaboration de scénarios de prise en charge

Lorsque l'aidé a pris contact avec ses émotions et qu'il a compris pourquoi il se sent ainsi, il doit alors déterminer les comportements qu'il veut changer, à la suite de ces prises de conscience. La focalisation pourra l'aider à amorcer cette démarche, en lui permettant d'élaborer des *scénarios de prise en charge*. Par exemple : « C'est devenu clair pour toi que tu dois changer de travail. As-tu une idée de la façon dont cela peut se faire ? »

Lorsque l'aidé se sent obsédé par les contraintes qui semblent le paralyser, on peut stimuler sa créativité en utilisant la focalisation comme suit : « Si tu avais une baguette magique, comment aimerais-tu que les choses se passent ? » Lorsqu'il a décrit la situation idéale, on peut focaliser sur la distance qui le sépare, dans les faits, de cet idéal. Il arrive que cette démarche permette à l'aidé de réaliser que la situation n'est pas aussi fermée qu'il l'imaginait, ou que ce dernier prenne tout à coup conscience de la façon dont il s'empêche de passer à l'action, et qu'il puisse alors détecter lui-même ses résistances.

Étant donné que beaucoup de scénarios de prise en charge impliquent des négociations avec une tierce personne, la focalisation peut se faire comme suit : « Qu'est-ce que vous auriez le goût de dire à votre mari ? », suivi de : « Comment pensez-vous qu'il réagirait à ça ? », etc.

La focalisation non verbale ou par interjection

Focaliser, c'est essentiellement inviter l'aidé à préciser un aspect de son vécu. Pour ce faire, il suffit souvent d'un signe de tête, d'un silence attentif ou d'une brève expression du genre : « O.K. », « et puis », « oui », « hum ! »...

C'est souvent l'*absence calculée* de réaction de l'aidant qui a un impact de focalisation, comme si celui-ci disait : « Continue, je ne vois pas le problème jusque-là », ou : « Continue, je te suis. » Voici un exemple de focalisation non verbale :

Aidée   Ma fille a décidé d'aller habiter en appartement.

(L'aidant intervient par un silence attentif signifiant : « et puis ».)

Aidée   Vous savez, elle a juste dix-neuf ans...

(L'aidant intervient par un silence attentif signifiant : « et puis ».)

Aidée   Dix-neuf ans, je me dis que c'est bien jeune pour voler de ses propres ailes...

Aidant   *Trop* jeune ? (Confrontation.)

Cet extrait nous donne une idée de ce qui devrait se passer dans beaucoup d'entrevues. L'aidé fait trois ou quatre interventions, chacune étant suivie d'un silence attentif de la part de l'aidant, après quoi ce dernier intervient brièvement, et accueille trois ou quatre autres interventions de la part de son aidé.

Cette façon de procéder a pour effet d'imprimer à l'entrevue un rythme confortable, aussi bien pour l'aidé, qui ne se sent pas poussé dans le dos, que pour l'aidant, qui sent qu'il n'a pas à produire une intervention pertinente toutes les cinq ou sept secondes... Les silences de l'aidant amènent aussi l'aidé à sentir que c'est lui qui doit faire le gros du travail, et non pas son aidant...

Exemples de focalisations

Nous terminerons ce chapitre en donnant quelques exemples de focalisations, regroupés selon les trois étapes que nous avons distinguées dans la relation d'aide au chapitre 5.

Dans la phase descendante

« Comment te sens-tu actuellement ? » (ou : « Qu'est-ce qui se passe actuellement ? »)

« Comment te sens-tu par rapport à lui ? » (ou : « ...par rapport à ça ? »)

« Qu'est-ce que ça te fait vivre ? »

« Si elle était devant toi, qu'est-ce que tu aurais le goût de lui dire ? »

« Qu'est-ce qui te fait le plus peur, là-dedans ? » (ou : « ...qui t'agace le plus ? », ou encore : « ...qui te frustre le plus ?, etc. »)

« Qu'est-ce que ça te fait de réaliser ça ? » (« ...de te faire dire ça ? »)

« Vous dites que votre mari vous fait toujours sentir inférieure. Est-ce qu'on pourrait regarder une situation concrète, par exemple, la dernière fois où ça s'est produit ? »

« Sous ta déception (ou ta frustration), est-ce qu'il y aurait autre chose ? »

Dans la phase intermédiaire

« Qu'est-ce que ça te dit sur toi, cette peur-là ? » (ou : « ...cette culpabilité-là ? », ou encore : « ...cette frustration-là ? », etc.)

« D'où est-ce que ça peut venir, cette peur-là ? », etc.

« Tu dis que tu as toujours eu de la difficulté avec lui. T'es-tu déjà demandé pourquoi ? »

« Pourquoi penses-tu que tu réagis comme ça ? »

« Comment t'expliques-tu ton comportement ? »

« Qu'est-ce que vous retenez de tout ça ? »

« Fais-tu un lien entre... (nommer un sentiment, un comportement ou une expérience) et... (même chose) ? »

Dans la phase ascendante

« Comment prévoyez-vous vous organiser, maintenant ? »

« Comment est-ce que tu aurais le goût de t'y prendre pour changer ? »

« Si tu avais une baguette magique, qu'est-ce que tu ferais ? »

« Comment est-ce que tu vas t'y prendre pour lui dire ça ? »

« Si la situation se représente, comment est-ce que tu vas réagir ? »

« Qu'est-ce qui vous attend, maintenant ? »

« Ça serait quoi, la solution à ton problème ? »

Notons enfin que plusieurs adverbes ou expressions adverbiales peuvent faire de bonnes focalisations : comment ça ? depuis quand ? souvent ? c'est pire ? pourquoi ? malgré toi ? de plus en plus ? nulle part ? jamais ? tout le temps ? à ce point-là ? trop ? dans quel sens ?

EN CONCLUSION

Dans la section consacrée à la focalisation non verbale ou par interjection, nous avons parlé du confort à assurer dans l'entrevue. Il faut ajouter qu'une bonne utilisation du reflet et de la focalisation a aussi pour effet de prévenir l'inconfort de l'aidant face à l'intensité de certaines émotions de l'aidé. Les observations suivantes, qui proviennent d'une aidante en formation, font bien ressortir le fait qu'une bonne utilisation de la focalisation et du reflet permet à l'aidant de laisser à l'aidé la propriété de ses émotions : « Pendant l'entrevue, je me sentais à l'écoute, concentrée, reflétant au fur et à mesure à mon aidée ce que je saisissais d'elle. Je n'ai aucunement vécu sa peur, son angoisse. Je l'ai sentie seulement, comme si le fait d'utiliser la focalisation et le reflet me permettait de garder une distance, de ne pas vivre à sa place, mais de l'accompagner dans sa nouvelle compréhension. »

D'après les développements qui précèdent, le reflet et la focalisation constituent deux types bien distincts d'intervention. Il arrive pourtant qu'une intervention donnée puisse autant être classifiée comme un reflet que comme une focalisation.

Prenons, par exemple, l'intervention suivante : « Il y a quelque chose qui ne va pas. » Cette phrase peut être un reflet : l'aidant sent que l'aidé est préoccupé, et il lui reflète cet état. Mais cette phrase peut aussi être une focalisation, comme si l'aidant disait à l'aidé : « Parle-moi de ce qui te préoccupe. »

On peut retenir deux choses de ce fait. D'abord, la difficulté des aidants en formation à bien distinguer entre reflet et focalisation est parfois compréhensible ! Ensuite, bien que techniquement distincts, reflet et focalisation sont proches parents. Un bon reflet a normalement un effet focalisateur, dans la mesure où le fait de se sentir compris et de se comprendre mieux encourage à poursuivre son exploration. Nous reviendrons sur la focalisation dans la deuxième partie du chapitre 10, lorsque nous aborderons les questions fermées.

CHAPITRE 9

LA RECHERCHE
DE LA SOLUTION

Beaucoup d'aidants initiés à l'approche rogérienne sont réticents à l'endroit d'inter-
ventions centrées sur la solution du problème. Cette réticence se
comprend : on manque souvent son coup en se centrant prématurément sur le problème *tel que l'aidé l'a formulé* plutôt que sur ce
qui se déroule actuellement dans l'univers subjectif de ce dernier.

Prenons un exemple. Un homme confie : « J'ai découvert un
cours de loisirs de plein air qui m'attire beaucoup. Mais pour le
suivre, il faudrait que je laisse mon emploi de mécanicien... »

Contrairement à ce que certains aidants inexpérimentés se-
raient portés à faire, il n'est pas indiqué de se centrer sur la solution
du problème à ce stade-ci de l'entrevue. La raison en est simple : vu
le peu d'informations dont on dispose, on n'est pas en mesure de
se faire une idée valable du problème réel de cet aidé.

On peut bien sûr imaginer des éléments de solution qui se-
raient éventuellement pertinents pour le *problème formulé* : « As-
tu pensé à t'informer s'il existe des débouchés pour ce cours ? »,
« As-tu pensé à demander des prêts et bourses ? », « Trouves-tu que
ça serait une bonne idée d'en parler à ton patron ? », « As-tu pensé
que tu pourrais continuer à travailler à mi-temps ? »...

Mais l'ennui, c'est qu'on ne sait pas encore si le *problème
formulé* présente un lien avec le *problème réel*. Dans la négative,
les suggestions objectivement valables de l'aidant n'auront pour
effet que de distraire l'aidé de son exploration, plutôt que de la lui
faciliter.

Ce problème réel, il peut être de dix ordres différents. Il peut s'agir d'un problème de relations interpersonnelles : l'aidé regarde ailleurs parce qu'il a son travail actuel en aversion, et ce, parce que tous ses compagnons de travail le rejettent. Mais si tout le monde agit ainsi, c'est parce que l'aidé s'organise inconsciemment pour se faire rejeter. Serait-il plus heureux à long terme dans un autre milieu de travail ?

Ce peut être un problème de fatigue : le mois de mars n'en finit plus, et la seule mention de *loisirs de plein air* fait miroiter à l'aidé des images irrésistibles de natation et de canot, de soleil et d'oiseaux. Mais s'il prenait plutôt deux semaines de vacances ?

Il peut y avoir un manque de contacts humains : au fond, l'aidé ne déteste pas vraiment la mécanique, qui lui procure en outre un revenu intéressant. Mais il aimerait bien être davantage en contact avec des jeunes, par exemple dans un mouvement scout ou comme bénévole pour un autre projet. Il lui faudrait cependant clarifier ses intérêts et explorer les possibilités.

On pourrait multiplier les exemples, pour arriver à la même conclusion : les solutions les plus brillantes ne sont d'aucune utilité quand on ignore encore le problème véritable qui se pose.

LES AIDANTS AUTODIDACTES

Les personnes qui se sont initiées par elles-mêmes à la relation d'aide sont souvent portées à se centrer tout de suite sur la solution du problème qui leur est soumis. Cela s'explique d'une part parce qu'elles n'ont pas appris à utiliser le reflet et la focalisation, et d'autre part par le succès qu'elles ont eu par le passé en contribuant à régler les problèmes qui leur étaient confiés.

Mais ce faisant, ces aidants mettent en place un cercle vicieux : plus ils se centrent sur la solution et moins ils développent les habiletés d'écoute, de reflet et de focalisation ; et moins ils écoutent, reflètent et focalisent, plus ils sont portés à se centrer sur le problème pour tenter de le régler.

On comprend bien, dès lors, la réaction des formateurs qui ont affaire à de tels aidants : ils doivent leur demander d'oublier le problème et la solution pour apprendre à se centrer sur l'univers subjectif de l'aidé.

La réaction des formateurs est d'autant plus compréhensible que, même lorsqu'il arrive à bien formuler son problème, l'aidé doit d'abord explorer *comment il se sent* face à ce problème, s'il veut découvrir la solution qui lui convient vraiment.

Beaucoup de situations, en effet, paraissent insolubles parce que le cadre de référence dans lequel elles sont pensées est trop étroit. Il arrive souvent qu'une solution existe, mais que celle-ci se trouve en dehors du cadre dans lequel le sujet confine — sans s'en rendre compte — sa recherche désespérée.

Pour trouver cette solution, le sujet devra donc d'abord se dégager de la problématique dans laquelle il s'est enfermé. Or, cet élargissement de perspectives se trouve facilité par l'entrée en contact du sujet avec ses émotions. Par exemple, l'aidé est frustré d'avoir été congédié et songe à exercer des recours juridiques qui sont hors de prix et presque sûrement voués à l'échec. Mais une exploration plus poussée lui permettrait de réaliser qu'il était fatigué de ce travail, et que ce congédiement lui permettra de se réorienter dans une direction dont il rêvait secrètement depuis quelque temps.

On a vu plus haut que les émotions et les sentiments sont en quelque sorte des informations que le sujet peut utiliser pour mieux comprendre ce qui lui convient dans la situation présente. Le psychiatre Lowen (1983, p. 242) écrit dans ce sens : « Si les sentiments sont forts, on sait ce que l'on veut. Il ne reste plus qu'à penser à la manière de l'obtenir, et, même dans ce cas, on peut se laisser guider par ses sentiments. [...] Les difficultés surviennent quand les sentiments sont ambivalents ou quand ils sont refoulés. »

Cela revient à dire que, même lorsqu'on est raisonnablement sûr que le problème formulé coïncide avec le problème réel, la meilleure façon de parvenir à la solution qui convienne le mieux à l'aidé consiste à bien franchir les deux premières phases du processus d'exploration.

UNE QUESTION D'ÉTAPES

On a vu au chapitre 5 que l'aidé demande trois choses à son aidant, soit de l'aider à s'exprimer, de l'aider à se comprendre et de l'aider à changer. Or, l'un de ces besoins étant habituellement dominant, il est théoriquement possible de situer cet aidé à l'une ou l'autre phase du processus exploratoire, que nous rappelons ici (figure 9).

Figure 9   Un schéma simplifié de la relation d'aide

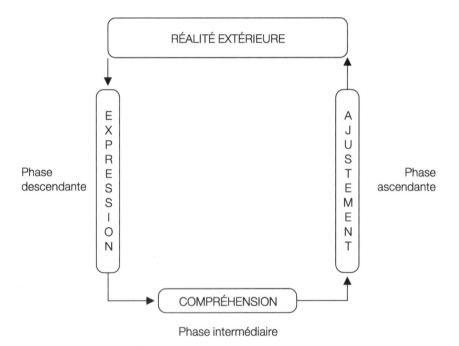

La question de se centrer ou non sur la solution se pose donc d'une façon différente selon l'étape à laquelle on est arrivé. S'il n'est pas utile de se centrer sur la solution à l'étape de l'expression ou de la compréhension, il serait inadéquat de *ne pas* se centrer sur la solution lorsque l'aidé est parvenu à l'étape de la prise en charge.

Il arrive même que certaines personnes qui demandent de l'aide se trouvent précisément à la frontière entre la phase intermédiaire et la phase ascendante. Ces personnes sont déjà en contact avec ce que leur problème leur fait vivre (elles ont franchi l'étape de l'expression), et elles ont une bonne idée aussi des racines de ce problème (elles ont traversé l'étape de la compréhension).

Ce qu'elles demandent alors à leur aidant, c'est précisément de les aider à trouver la solution à leur problème. À ce moment, il serait inutile d'utiliser le reflet ou la focalisation pour l'expression des sentiments (« Comment vous sentez-vous actuellement ? »), et il serait tout aussi inutile d'axer son aide sur la compréhension en utilisant l'interprétation ou la focalisation (« Qu'est-ce que ce problème vous dit sur vous-même ? »). On doit alors se centrer sur l'exploration de la solution, et ce, même si on est en tout début d'entrevue.

C'est dire l'importance que revêt le diagnostic pour la conduite de l'entrevue. L'aidant qui n'a pas d'idée de l'endroit où son aidé se trouve sur la trajectoire exploratoire sera bien en peine d'intervenir d'une façon pertinente, que ce soit avec des reflets, des interprétations ou des focalisations.

En revanche, celui qui a une bonne idée du besoin dominant de son aidé se trouve en position d'intervenir d'une façon productive dès le début de l'entrevue. Il n'est évidemment pas un devin, et il peut lui arriver de ne pas réussir à discerner le besoin dominant de son aidé d'une façon suffisamment claire. Le plus simple est alors de lui demander directement : « Avez-vous une idée de ce que vous attendez de moi ? », « Avez-vous une idée de ce qui vous aiderait, actuellement ? », « Qu'est-ce qu'il vous semble le plus important de comprendre, actuellement ? »...

LES NOUVELLES BOUCLES

À un moment donné, il devient clair que l'aidé est bien en contact avec ses sentiments et qu'il s'est approprié son problème, c'est-à-dire qu'il a pris conscience de la façon dont celui-ci est relié à sa façon habituelle de penser et d'agir. Il y a alors lieu de se centrer sur la solution.

Comme Lowen l'a laissé entendre (voir plus haut), beaucoup d'aidés trouvent spontanément la solution de leur problème dès lors qu'ils ont bien franchi les deux premières étapes de leur exploration. Il s'agit alors de se préparer émotivement à passer à l'action. Tout changement est de nature à entraîner des résistances face au risque de l'inconnu. Et beaucoup de changements entraînent aussi la nécessité d'un certain travail de deuil à l'endroit des pertes qu'ils impliquent.

Par exemple, une aidée en vient à la conclusion qu'elle doit mettre un terme à une relation qui la détruit. Mais la rupture ne sera pas nécessairement facile, et il lui faudra peut-être faire le deuil de plusieurs avantages que cette relation pénible lui apportait quand même, par exemple sur le plan matériel.

Ces résistances et ce travail de deuil pourront l'amener à s'engager dans une nouvelle boucle *expression-compréhension-prise en charge*. Elle pourra alors explorer comment elle se sent face à la perspective de cette rupture (phase d'exploration) et pourquoi elle réagit comme elle le fait (phase de compréhension).

Le cheminement dans cette boucle lui permettra de progresser dans la phase de prise en charge, et de se préparer à vivre effectivement cette rupture au moment et de la façon qui lui conviennent le mieux.

LA MULTIPLICATION DES SCÉNARIOS DE CHANGEMENT

Ce ne sont cependant pas tous les aidés qui débouchent plus ou moins naturellement sur la solution appropriée. Dans beaucoup de cas, l'aidé vivra autant d'impuissance et de confusion à la phase de la prise en charge qu'aux phases précédentes. À ce moment, l'aidant pourra stimuler le processus exploratoire suivi par son aidé en tentant de multiplier, avec la participation de celui-ci, ce qu'on pourrait appeler des *scénarios de changement*.

Établir un scénario de changement, c'est préciser une façon de mettre en œuvre le changement désiré. Or, beaucoup d'aidés vivent

de l'impuissance et de la confusion parce qu'ils se trouvent prison-
niers d'un scénario unique qui ne leur convient pas vraiment.

Pour les libérer de leur prison, il s'agit alors de multiplier ces
scénarios, car plus ceux-ci seront nombreux, plus l'intéressé aura
de chances de découvrir celui qui lui convient le mieux. Multiplier
les scénarios de changement, c'est dans ce sens augmenter la liberté
de l'aidé, lui donner davantage de pouvoir sur la direction qu'il veut
désormais imprimer à sa vie.

Il y a, par exemple, bien des façons de communiquer à un
partenaire la décision qu'on a prise de rompre avec lui. On peut le
lui dire de vive voix ou par écrit ; on peut le lui dire directement et
tout d'un coup ou le lui dire progressivement, en lui communiquant de plus en plus clairement ses insatisfactions et son désir de
se réorienter ; on peut le lui dire seul ou avec l'aide d'un aidant, ou
encore en compagnie d'amis intimes ; on peut le lui dire à un
moment où l'on se sent proche de lui, ou, au contraire, à un
moment où l'on se sent énergisé par l'agressivité que l'on éprouve
à son endroit, etc.

En alignant ces scénarios, l'aidant se trouve à stimuler le processus exploratoire suivi par son aidé, tandis qu'en lui proposant un
scénario unique, il risque de lui communiquer le message suivant :
« Fais cela, et ton problème sera réglé. »

LE LONG TERME ET LE COURT TERME

La thérapie formelle s'étend d'habitude sur plusieurs mois, voire
sur quelques années. Dans ce contexte, l'attention porte souvent
moins sur *un* problème à régler que sur la façon dont l'aidé est
porté à aborder *l'ensemble* de ses problèmes.

Dans le cas de la relation d'aide semi-formelle, la perspective est
d'habitude à plus court terme, ce qui rend légitime le fait de se
centrer sur un problème précis pour lequel une solution est re-
quise dans un avenir proche.

Certains théoriciens de la thérapie brève ne craignent pas de
dire dans ce sens qu'on n'a pas nécessairement besoin de connaître
la cause lointaine des problèmes pour leur trouver une solution

adéquate dans le présent (O'Hanlon et Weiner-Davis, 1989). Nous reviendrons sur cette question au chapitre 15.

Chose certaine, le caractère informel et passager de nos interventions permet de relativiser la crainte voulant que « donner un conseil, c'est créer de la dépendance ». Il est vrai qu'*imposer* une solution, c'est priver l'aidé de l'occasion d'apprendre à composer avec ses problèmes. Mais le fait de multiplier des scénarios peut difficilement être vu comme un encouragement à la dépendance, surtout si l'on prend soin par la suite d'inviter l'aidé à se situer par rapport à ces scénarios.

Au demeurant, on a vu plus haut que la mise en place de ces scénarios devait avoir lieu « avec la participation de l'aidé ». En ce sens, la focalisation s'avère souvent une meilleure intervention qu'une suggestion venant de l'aidant, parce qu'elle garde l'aidé dans un rôle actif.

Par exemple, plutôt que d'aligner les scénarios que nous avons évoqués plus haut dans le cas du projet de rupture, l'aidant peut demander à son aidée : « As-tu une idée de la façon dont tu pourrais communiquer à ton ami ta décision de le quitter ? » Et par la suite : « Est-ce qu'il y a d'autres façons dont tu pourrais t'y prendre ? » Ce n'est que lorsque l'aidée se trouve à court de scénarios que l'aidant peut alors prendre la relève et ajouter ceux qu'il a lui-même en tête.

Ou encore, à un aidé qui a pris conscience du fait qu'il est autoritaire avec ses enfants, et qui a aussi détecté la source de ce comportement, l'aidé peut dire : « Auriez-vous le goût de choisir une situation concrète et de voir comment vous aimeriez réagir avec vos enfants ? »

Outre la focalisation, l'aidant dispose aussi de la confrontation, qui est une intervention déséquilibrante. Il pourra, par exemple, dire à son aidée : « Bon, c'est devenu clair pour vous que vous devez quitter votre ami. Alors, quand lui dites-vous ça ? » Une telle intervention n'a pas pour but d'amener l'aidée à passer tout de suite à l'action, mais de lui permettre de prendre contact avec les résistances qui l'habitent face à cette perspective. Comme toute bonne intervention, cette confrontation a donc uniquement pour but de stimuler le processus exploratoire suivi par l'aidée.

Voici un autre exemple de confrontation : « J'ai l'impression que vous êtes moins prête à passer à l'action que vous le disiez tantôt. Est-ce que je me trompe ? » Techniquement, cette intervention est un reflet (des résistances). Mais, dans le contexte, elle a un effet déséquilibrant si elle provoque une prise de conscience déroutante pour l'aidée. Elle devient alors une confrontation, cette technique faisant l'objet du chapitre 13.

Il peut même arriver que l'aidant exerce légitimement une légère pression sur son aidé pour que celui-ci s'engage dans une direction qui apparaît souhaitable à tous deux. Pensons à un aidé qui rêverait de terminer son secondaire, mais qui aurait par ailleurs une image négative de lui-même et qui s'empêcherait de passer à l'action par peur de l'échec. L'aidant pourrait lui suggérer avec un certain enthousiasme de commencer par s'inscrire d'abord à un seul cours (celui qui l'attire le plus !), et de voir par la suite. On suppose évidemment que l'aidant ne ferait cette suggestion qu'après avoir exploré au préalable les sentiments de l'aidé, ses goûts et ses aspirations, ses résistances, sa tendance à se percevoir négativement et à se donner peu de chances (voir Corey, 1986, p. 382).

LES DIFFÉRENTES TÂCHES DE L'AIDANT

Voici différentes tâches que l'aidant est appelé à remplir à la phase de l'ajustement :

1. Aider le sujet à découper sa solution en démarches successives, de manière à mieux déterminer les enjeux de chaque étape, les ressources qu'il aura à déployer à chacune d'entre elles et le soutien dont il pourra avoir besoin à ce moment.

2. Aider le sujet à dédramatiser les échecs qu'il pourrait connaître, non pas dans le style : « Si ça ne marche pas, ce n'est pas grave », mais dans le style : « J'ai le droit de me tromper, je ne suis pas obligé de réussir du premier coup. »

3. Permettre à l'aidé de doser les défis de son changement, de manière à se préparer à relever des défis plus exigeants en remportant d'abord des victoires plus modestes.

Ces points de repère s'appliquent lorsqu'il s'agit d'une décision relativement importante à laquelle le sujet doit s'apprivoiser. Dans beaucoup d'autres cas, ce dernier n'a pas de décision à prendre, et donc pas de scénario de changement à élaborer, et il ne demande de l'aide que dans le but de clarifier ce qu'il vit ou de progresser dans un deuil, par exemple. L'aidant doit donc ajuster ses interventions aux besoins de chacun de ses interlocuteurs.

EXEMPLE

Nous terminerons notre réflexion sur la recherche de la solution en présentant un extrait de dialogue entre deux compagnes, dont la première est présidente de l'Âge d'or de sa municipalité.

Aidée	Depuis quelque temps, la participation aux activités baisse pas mal.
Aidante	Ça te tracasse ?
	(Ce reflet semble approprié. L'aidée se sent comprise et encouragée à continuer.)
Aidée	C'est toujours les mêmes qui viennent aux parties de cartes. Par contre, quand on organise un repas, la participation est plus forte.
(L'aidante garde le silence.)	(L'aidante manœuvre bien en laissant à l'aidée l'initiative de son exploration.)
Aidée	J'aimerais trouver des activités qui attireraient plus de gens, mais ce n'est pas facile. Il y en a qui ne jurent que par les cartes.
Aidante	C'est vrai que c'est ennuyant de toujours avoir la même activité.
	(L'aidante se permet de donner son point de vue personnel. Nous reviendrons sur ce thème au chapitre 11, qui porte sur l'implication de l'aidant.)
Aidée	Je suis sûre qu'il doit y avoir une solution.

Aidante	Qu'est-ce que tu aurais le goût de proposer ?
	(Cette focalisation invite l'aidée à élaborer des scénarios de changement. Intervention appropriée.)
Aidée	J'aimerais organiser des sorties d'une journée, par exemple aller aux pommes.
Aidante	As-tu l'intention de proposer cette idée aux membres ?
	(On pourrait assimiler cette intervention à une confrontation qui stimule l'exploration de l'aidée : « Te sens-tu prête à passer à l'action ? »)
Aidée	Je pense que je vais le faire à la prochaine rencontre.
Aidante	Je suis sûre que c'est une idée qui va plaire aux membres.

Voici les commentaires de l'aidante, à la suite de cette entrevue : « Ça n'a pas été facile pour moi. Quand j'ai réalisé qu'il s'agissait d'une relation d'aide, j'ai pris conscience que ma compagne devait trouver elle-même ses solutions. J'avais une liste de solutions à proposer, et j'ai trouvé ardu de m'obliger à refléter et à focaliser quand j'aurais pu lui proposer une marche à suivre à l'égard des membres. »

Nous avons ici un bel exemple d'une relation d'aide *situationnelle*, où une personne utilise spontanément ses habiletés d'aidante pour stimuler l'exploration de son interlocutrice.

Cette aidante a jugé à bon droit que son aidée se situait à la troisième étape de la relation d'aide, soit la recherche de la solution. L'aidante croit cependant que son aidée « *doit* trouver elle-même ses solutions », et cette opinion risque de la rendre moins efficace dans ses interventions.

Supposons que l'aidée ne pense pas à l'idée de sorties d'une journée, et que ce soit l'aidante qui y pense. Le fait de ne pas suggérer ce scénario de changement n'aura pour effet que de laisser l'aidée aux prises avec son impuissance et son inquiétude, et donc de rendre cet entretien peu aidant. L'aidante de notre exemple devrait donc revoir son principe selon lequel « l'aidé doit trouver lui-même sa solution ». Nous dirions plutôt : « L'aidé doit décider lui-même quelle solution il retient, après avoir été aidé à se situer par rapport aux scénarios qu'il a lui-même esquissés ou qui lui ont été suggérés par son aidant. »

EN CONCLUSION

On a vu au chapitre 5 que l'aidé est souvent tenté de *brûler les étapes* et de se situer prématurément à l'étape de la solution, de manière à éviter l'inconfort de ses sentiments et de ses remises en question. Il serait peu utile de devenir complice de cette fuite en se centrant avec lui sur la recherche prématurée d'une solution.

Mais lorsque l'aidé est vraiment arrivé à cette étape, il faut s'engager sans crainte avec lui dans la recherche de scénarios de changement, et, s'il nous vient des idées à ce sujet, il ne faut pas hésiter à les lui soumettre en toute simplicité.

CHAPITRE **10**

LE SOUTIEN,
L'ÉVALUATION ET
LA QUESTION FERMÉE

Ce chapitre présente trois interventions qui n'ont pas de lien direct entre elles, mais que nous avons regroupées pour éviter d'allonger le texte. Contrairement au reflet et à la focalisation, qui sont des outils essentiels, les types d'intervention abordés ici ont en commun le fait d'être des outils d'appoint, dont on ne doit faire qu'un usage très occasionnel.

LE SOUTIEN

L'ambiguïté du soutien verbal

Les aidants en formation sont souvent portés à prodiguer à l'aidé des encouragements verbaux du genre : « Ne te décourage pas, ce n'est pas si grave que ça, tu vas t'en sortir. »

Leur but est d'amener l'aidé à retrouver son équilibre le plus tôt possible, quitte, pour ce faire, à minimiser l'ampleur de son problème. Mais cela risque de provoquer chez celui-ci le sentiment de ne pas être rejoint dans sa détresse, ou encore, de provoquer de l'irritation face au fait d'être traité avec une condescendance artificielle.

À d'autres moments, le soutien verbal risque au contraire d'amener l'aidé à méconnaître lui-même son problème, et à s'orienter rapidement vers une solution de surface qui laisse entière la cause de ce problème.

D'autres formes de soutien

Le soutien verbal part d'un bon naturel : on veut communiquer à l'aidé qu'on se sent proche de lui, et on veut raviver son espoir défaillant. Mais nous venons de voir que les embûches sont sérieuses. C'est pourquoi, si l'on tient à apporter du soutien, il vaut mieux utiliser le reflet, qui permet habituellement à l'aidé de retrouver son équilibre en se sentant rejoint et compris dans ce qu'il vit. C'est d'ailleurs ce qui explique que, dans le premier exercice présenté au chapitre 2, le huitième cas comportait deux interventions identiques qui étaient tour à tour identifiées comme un reflet (sixième intervention) et comme un soutien (huitième intervention).

Outre le reflet, l'intervention qui est la plus apte à apporter un soutien d'une façon non verbale est le contact visuel. Charest (1989, p. 11) conclut ainsi une revue de littérature : « Le contact visuel contribue non seulement à rendre l'entrevue intime, mais aussi à traduire un sentiment de valeur personnelle au client souffrant d'une faible estime de soi. »

Lorsqu'il prend la forme d'une approbation verbale, le soutien constitue une permission donnée à l'aidé de penser ou d'agir comme il le fait. Cette permission peut avoir pour effet de déculpabiliser l'aidé, et donc de l'aider à intégrer une expérience difficile.

Certaines situations justifient peut-être de telles interventions. Prenons un exemple. À quatre-vingt-cinq ans, Madame X ne se résout pas à ce que son conjoint, malade et en perte d'autonomie, soit hébergé en centre d'accueil : elle se sentirait trop coupable de l'abandonner. Son aidante lui dit : « Vous savez, je ferais la même chose si j'étais à votre place. »

En principe, il est préférable de refléter la culpabilité et les autres résistances et de les travailler, plutôt que d'inviter l'aidé à cesser de se sentir coupable. Mais certaines « permissions » données à l'aidé ont parfois pour effet de lui épargner de la misère matérielle et des tourments intérieurs.

En conclusion

Dans les moments de souffrance profonde, ou encore au moment où l'aidé se prépare à mobiliser ses ressources pour risquer un comportement délicat, un certain soutien verbal formulé de façon subtile peut avoir sa place. Mais, en règle générale, on doit faire un usage modéré de cet outil.

L'ÉVALUATION

L'évaluation consiste à blâmer ou à approuver l'aidé de penser ou d'agir comme il le fait. Cette évaluation peut porter sur ses faits et gestes passés (« Vous n'auriez pas dû faire ça »), sur ses réflexions (« Vous ne devriez pas penser comme ça »), sur ses intentions (« Vous devriez faire ça »), ou encore sur ses omissions (« Dites-lui, à votre mari », « Parlez-lui, à votre fille »).

L'évaluation implique d'habitude une référence aux valeurs et aux croyances de l'aidant, qui les projette sur l'univers de son aidé, comme s'il se disait en lui-même : ce qui est bon pour moi est bon pour lui, les principes qui régissent ma vie doivent régir la sienne aussi.

Par exemple, une aidante se dira en elle-même : « Si je me suis permis (ou interdit) un avortement, mon aidée devrait s'en permettre (ou s'en interdire) un elle aussi. » Ou un aidant dira : « Si je me suis permis (ou interdit) une relation extraconjugale, mon aidé devrait s'en permettre (ou s'en interdire) une lui aussi. »

Lorsque l'aidant projette, consciemment ou non, ses croyances personnelles sur le vécu de son aidé, ce phénomène se traduit par une désapprobation ou par une approbation plus ou moins subtile des faits et gestes de l'aidé.

L'approbation

L'approbation constitue en effet une façon d'évaluer et de contrôler. Sur le coup, il est évidemment agréable de se faire dire : « Vous avez bien fait ! » Les aidants en formation sont par conséquent portés à percevoir ce type d'intervention comme du soutien et non pas comme de l'évaluation, à laquelle ils associent les reproches et les blâmes.

L'approbation représente toutefois une arme à double tranchant. Qu'arrivera-t-il, en effet, lorsque l'aidé reparlera plus tard d'une situation semblable, et que, cette fois, son aidant ne l'approuvera pas ? N'aura-t-il pas raison d'interpréter ce silence comme une désapprobation ?

La désapprobation

Si l'approbation entraîne une permission, la désapprobation entraîne logiquement une défense ou une interdiction. Par exemple, une femme âgée s'exprime comme suit : « Je ne peux pas comprendre pourquoi ma fille a coupé tout contact avec moi depuis huit ans. Elle n'a même pas assisté aux funérailles de son père, il y a quatre ans. » Son aidant lui répond : « Vous ne trouvez pas que vous vous êtes fait assez mal depuis le temps que vous pensez à ça ? »

Cette intervention se voulait probablement un soutien ou une solution : « Arrêtez de penser à ça et vous allez arrêter d'être triste. » Mais si on les regarde de plus près, ces paroles reviennent en fait à reprocher à l'aidée d'avoir un problème, et à lui ordonner de ne plus en avoir !

Ce phénomène est fréquent. Par exemple, l'aidé dit qu'il se sent tendu, et son aidant lui dit de se détendre (et donc, d'arrêter d'avoir un problème) ; ou l'aidée confie qu'elle a de la difficulté à communiquer avec son conjoint ces temps-ci, et son aidant lui répond qu'il faut qu'ils se parlent, tous les deux.

Même des réactions de l'aidant qui se veulent du soutien et qui sont apparemment anodines peuvent constituer des interventions évaluatives. Par exemple, l'aidé décrit une situation qui provoque chez lui du désarroi et de l'anxiété, et il se fait répondre : « Ce n'est pas grave » ou : « C'est normal. »

On peut présumer que l'aidant tente ici de dédramatiser la situation pour permettre à son aidé de mobiliser plus facilement ses ressources. L'intention est bonne, mais le message reçu peut être le suivant : « Vous avez tort de vous en faire pour si peu », et, pis encore : « Les gens normaux ne se laissent pas arrêter par ces enfantillages »...

Certaines réprobations portent sur la décision que l'aidé s'apprête à prendre. Par exemple, une femme enceinte se demande si elle poursuivra sa grossesse, et son aidant lui dit : « Vous faites ce que vous voulez, mais si vous vous faites avorter, n'allez pas vous imaginer que vous allez vivre ça sans culpabilité. »

Cet aidant se disait accueillant face à la décision de son aidée, quelle qu'elle soit. Mais la formulation utilisée montre bien qu'il évaluait négativement l'avortement et qu'il tentait de dissuader son aidée d'opter dans ce sens.

Dans d'autres cas, c'est l'inaction de l'aidé qui sera dévalorisée. L'aidant dira, par exemple : « Qu'est-ce que tu attends pour lui parler ? » Ou encore : « Quand est-ce que vous allez vous décider ? »

Le contrôle légitime

Il arrive que l'aidé se prépare à poser un geste impulsif qui entraînera probablement un dommage sérieux. Pensons à un geste suicidaire, à une démission donnée sous le coup de la colère, à la vente d'une propriété sous le choc d'un deuil...

Dans ces situations, l'aidant peut sentir qu'il doit tenter de dissuader son aidé de passer à l'action. Mais cela, non pas parce qu'il se sent personnellement menacé par le geste envisagé, que l'aidé songe à mettre fin à ses jours, à quitter un emploi ou à vendre un immeuble. L'intervention serait motivée ici non pas par le principe du geste, mais par les circonstances dans lesquelles celui-ci est posé. Ce que l'aidant recherche, ce n'est pas de restreindre la liberté de l'aidé (« Ne vous faites pas avorter », ou « Ne déménagez pas »), mais au contraire d'augmenter celle-ci : « Le geste que vous vous apprêtez à poser m'apparaît sérieux dans ses conséquences, et vous ne me semblez pas actuellement en état de prendre une décision qui vous convient vraiment. Pouvez-vous vous donner vingt-quatre heures pour y penser et m'en reparler demain ? »

Qu'il s'agisse de permettre ou d'interdire une décision ou un geste donnés, il peut donc arriver que l'évaluation, ou du moins une certaine forme de contrôle, soit légitime. Comme pour tous les types d'intervention, mieux vaut donc éviter les tabous et veiller à ne pas condamner sans appel telle ou telle intervention.

Refléter ou focaliser plutôt qu'évaluer

Mis à part certains cas limites, l'évaluation a d'habitude pour effet de ralentir le processus exploratoire suivi par l'aidé en suscitant des résistances plus ou moins conscientes de sa part, comme s'il se disait : « Si je dois me faire blâmer ou me faire imposer des façons de voir, je vais me taire. »

Par exemple, à soixante-cinq ans, Madame Y a un petit-fils adolescent qui est négligé par sa mère et avec lequel elle a une relation privilégiée. Mais cette femme trouve que les attentes de son petit-fils à son endroit sont parfois exigeantes, et elle veut explorer la situation.

Son aidante lui dit : « Je trouve que votre appui financier, c'est déjà beaucoup. » Cette intervention se voulait un soutien, mais elle peut être interprétée comme suit : « Ne vous sentez pas coupable de ne pas en faire plus. » Plus encore : « Arrêtez de vous tracasser sans raison pour quelqu'un dont vous n'êtes pas responsable. »

Si l'aidée désire s'impliquer davantage dans le cheminement de cet adolescent, l'intervention qui précède l'empêchera de se sentir libre d'explorer ce désir, d'autant plus que cela l'amènerait à explorer aussi les résistances qu'elle éprouve en même temps face à cette perspective.

Il aurait mieux valu utiliser le reflet, comme suit : « Vous êtes déjà impliquée financièrement, mais vous voudriez faire plus, sans savoir exactement où placer vos limites. » On constate une fois de plus que c'est souvent faute de pouvoir bien utiliser le reflet que l'aidant sera porté à aller vers une intervention moins appropriée, que ce soit une évaluation, un conseil ou une solution, un soutien ou une implication non nécessaire…

Lorsque l'aidant a par ailleurs manifesté par l'ensemble de ses interventions qu'il est respectueux et à l'écoute, certaines évaluations-contrôles légères, bien que techniquement inappropriées, n'auront pas pour effet de freiner l'exploration mais de la stimuler, comme si, dans le but de mieux se faire comprendre, l'aidé se trouvait encouragé à livrer davantage de son vécu.

Voici un exemple. Madame Z a quatre-vingt-six ans et elle se plaint de son mari, qui passe ses journées couché sans s'occuper d'elle. Elle avoue parler beaucoup avec un chat et un ourson en peluche, pour compenser. Son aidante lui dit : « Vous ne pensez pas que votre mari peut se sentir délaissé lorsque vous parlez à vos animaux en peluche plutôt qu'à lui ? »

L'évaluation est claire ici : « Vous devriez parler à votre mari plutôt qu'aux animaux... » Mais à la suite de cette intervention, l'aidante note que son aidée « est retournée quarante ans en arrière pour lui parler de son mari et de leurs problèmes de couple ».

Dans un tel cas, on est bien en présence d'une légère réprobation, mais le climat de la relation demeure respectueux et accueillant. L'inverse se produit parfois : l'aidant peut faire une intervention qui peut être techniquement classée comme un reflet ou une reformulation, mais il se sent tellement menacé par le vécu de son aidé (par exemple, s'il s'agit d'homosexualité) que celui-ci percevra à juste titre cette intervention comme un blâme déguisé.

Si les évaluations n'ont pas toujours des effets désastreux, dans beaucoup de cas, cependant, l'aidant perspicace pourra noter une baisse de l'implication de son aidé, quand ce ne sera pas clairement un changement de sujet de sa part, ou tout simplement l'interruption de la relation. Mieux vaut donc s'en abstenir, habituellement au profit de reflets ou de focalisations.

Voici un exemple d'un effet nuisible de l'évaluation. L'aidé demande à son aidant : « Que ferais-tu si tu découvrais que tu en as marre de ton épouse et que la seule chose qui compte maintenant pour toi, c'est l'amour d'une autre femme que tu viens de rencontrer ? » Malgré la formulation utilisée (« Que ferais-tu ? »), l'aidé n'éprouve probablement aucun intérêt pour les réactions hypothétiques de l'aidant, et ce qu'il lui demande, en fait, c'est ceci : « Aide-moi à me demander à moi-même ce que j'ai le goût de faire... »

L'aidant évite le piège de la question et se centre sur la subjectivité de son aidé : « Je crois comprendre que tu as presque décidé d'abandonner ta femme. C'est ça ? » Dans cette intervention, l'éva-luation est logée dans le terme *abandonner*. On peut présumer que l'aidé se sent coupable de songer à mettre un terme à son mariage et que le terme *abandonner* vient sanctionner son atti-tude. Dans ces conditions, il risque fort d'entendre : « Irais-tu jusqu'à abandonner ta femme ? Tomberais-tu aussi bas ? »

Il faut donc éviter qu'il y ait non seulement réprobation, mais *apparence* de réprobation, et ce, en employant des termes descrip-tifs et exempts de jugement : « Tu songes à mettre un terme à ton mariage, c'est ça ? » Incidemment, mieux vaudrait refléter le désar-roi latent qui est exprimé par l'aidé : « Tu te sens coïncé entre un amour naissant et un mariage qui te semble mort ? »

L'entretien se poursuit. L'aidé dit : « J'en ai marre de ma femme et de ma routine », et l'aidant enchaîne : « Essayons d'analyser tous les morceaux de la mosaïque. Commençons avec tes enfants. As-tu pensé à eux ? »

L'aidant commet ici deux erreurs. La première est de détourner son aidé de ce qui semble présentement important pour lui, soit sa lassitude et son désarroi, pour le centrer sur un thème dont il n'a pas été question jusqu'ici, soit les enfants. La seconde erreur est de formuler encore une fois son intervention sous l'angle d'une répro-bation voilée : « As-tu pensé à tes enfants ? »

Encore ici, dans la mesure où l'aidé se sent coupable de ses fantaisies de divorce, il ne pourra pas manquer de se sentir accusé d'abandonner non seulement sa femme, mais aussi ses enfants. La suite de l'entrevue montre que l'aidé décide de fait de mettre un terme à son exploration, en changeant de sujet. Il se met à parler de la dernière décision « stupide » de son patron, sur lequel d'ail-leurs il dirige peut-être l'irritation qu'il éprouve à l'endroit des interventions subtilement agressantes de son aidant.

En conclusion

Il faut donc être vigilant. L'aidé a rarement besoin qu'on lui dise comment penser et quoi faire. Il a au contraire souvent besoin de notre empathie et de notre acceptation, de manière qu'il en vienne lui-même à mieux accueillir tous les éléments de sa réalité person-nelle, y compris les plus menaçants.

Voyant plus clair en lui et se sentant davantage en confiance, il pourra définir par lui-même les limites et les coûts de ses comportements ou de ses décisions. Dans le cas contraire, on pourra toujours penser à le confronter, mais cela est une autre histoire, que nous réservons pour un chapitre à venir.

LA QUESTION FERMÉE

On utilise des questions fermées lorsqu'on recherche des informations qui permettront de se faire une meilleure idée de la situation de l'aidé. La question fermée demande une réponse objective, soit par oui ou non, ou par quelques mots. Par exemple : « Est-ce que votre mari travaille ? », « Vous avez combien d'enfants ? », « Quel âge a votre plus jeune ? »

La question fermée se distingue donc de la focalisation, laquelle est une question ouverte qui demande une élaboration, et qui est centrée non pas sur un détail objectif, mais sur le vécu de l'aidé. Par exemple : « Comment vous sentez-vous face au fait que votre mari ne travaille pas ? », « Comment vous vivez ça, le fait d'avoir trois enfants en bas âge ? »

L'aidant peut recourir à une question fermée s'il veut obtenir une information qui lui permettra de mieux comprendre le vécu de l'aidé, et donc de devenir plus empathique. Par exemple : « Ça fait longtemps que votre mari est sans travail ? »

Il arrive aussi que l'aidant utilise une question fermée simplement pour satisfaire sa curiosité. Par exemple : « C'est sa première aventure ? » Mais le plus souvent, les aidants en formation ont recours à une suite de questions fermées parce qu'ils cherchent quelque chose à dire pour faire parler l'aidé, et que les seules choses qui leur viennent à l'esprit sont des questions traditionnelles.

Dans une telle situation, l'aidant a plutôt intérêt à prendre quelques secondes pour se poser les questions suivantes :

— « Quel sentiment l'aidé est-il en train d'essayer de me communiquer actuellement ? »

— « Quel est l'autre sentiment que j'entends derrière le sentiment exprimé ? »

Ces questions vont lui permettre de discerner le sentiment, de le pressentir (pré-sentir), et il n'aura ensuite qu'à le refléter ou à attirer l'attention de l'aidé sur celui-ci à l'aide d'une focalisation. Si ces questions ne le mettent sur aucune piste, l'aidant pourra alors recourir à la focalisation : « Comment te sentais-tu dans cette situation ? », « Qu'est-ce que ça vous fait de me parler de ça ? »

Si jamais l'aidant ne sent rien et que l'aidé ne sent rien lui non plus, quelques questions fermées peuvent alors être utiles : « Qu'est-ce qui s'est passé au juste ? », « Qu'est-ce qu'elle t'a dit au juste ? », « À ce moment-là, elle ne t'avait pas dit qu'elle voulait te quitter ? », « Est-ce que votre père vous parlait, des fois ? »

On pourra ensuite soit refléter ce qui suinte à travers le récit, soit focaliser plus précisément : « Comment avez-vous réagi intérieurement, à ce moment-là ? »

La question fermée et la focalisation

Revenons sur la distinction entre la question fermée et la focalisation, en examinant trois différences. D'abord, l'aidé peut souvent répondre à la question fermée par un mot ou quelques mots : « Avez-vous peur que votre fille se décourage ? » (réponse : « Oui, des fois », ou : « Pas vraiment »), tandis que la focalisation amène l'aidé à poursuivre son exploration : « Vous semblez avoir peur que votre fille se décourage ; pourquoi cette peur ? »

Ensuite, la question fermée sollicite des informations qui sont utilisées par l'aidant (pour mieux comprendre, mieux suggérer, etc.), tandis que la focalisation sert d'abord à l'aidé (pour mieux se comprendre, parvenir à des solutions plus adéquates…).

Enfin, la question fermée a souvent pour effet de détourner l'aidé de ce qui l'habite actuellement, pour le centrer sur des personnes ou des réalités extérieures. Par exemple, une femme ne se résout pas à mettre un terme à une relation qui ne lui convient plus :

Aidée   Ça prend toute mon énergie. Je ne pense qu'à ça.

Aidante   En parles-tu à ton ami, de ce que tu ressens ?

Cette question fermée détourne l'aidée de son sentiment dominant, qui est de perdre son énergie. Cette intervention serait avantageusement remplacée par la focalisation suivante : « Quand tu penses à ça, qu'est-ce que tu te dis ? »

Mais focaliser n'est pas seulement faire parler, c'est faciliter l'exploration du sentiment *pertinent*, c'est amener au grand jour ce qui demeure faiblement éclairé, comme caché par les broussailles des verbalisations. Plus loin dans l'entretien, la même femme poursuit :

Aidée   J'ai l'impression de perdre mon temps. Je sens
                 qu'il faudrait que je règle ça au plus vite.

Aidante   De quelle façon ?

Il s'agit ici d'une focalisation qui permettra à l'aidée de regarder au grand jour ses fantaisies de rupture. Mais imaginons que, en début d'entrevue, l'aidée dise : « Je suis fatiguée d'être avec un homme qui passe son temps à me dévaloriser », et que l'aidante lui demande : « De quelle façon il te dévalorise ? »

Nous avons les mêmes mots que plus haut, mais plus haut il s'agissait d'une focalisation qui *stimulait* l'expression, alors qu'ici il s'agit d'une question qui *retarde* l'expression (du sentiment de colère, de frustration ou du désir de passer à l'action). Mieux vaudrait donc utiliser un reflet : « Tu n'as plus le goût qu'on te manque de respect... »

Il peut arriver qu'une focalisation soit hors de propos. Prenons l'exemple suivant : « T'es-tu demandé ce qui n'a pas marché dans ton couple ? » Cette intervention est adéquate si l'aidé se trouve dans la *phase intermédiaire* ou *de compréhension*, car elle aura pour effet de stimuler l'exploration et l'intégration de son vécu.

Mais si l'aidé est dans la *phase descendante*, et qu'il est en train de prendre contact avec sa peine ou sa colère, cette question de type analytique aura pour effet de le faire décrocher de son vécu présent.

EN CONCLUSION

La question fermée n'est donc pas à bannir d'une façon absolue, mais, neuf fois sur dix, l'aidant a intérêt à la remplacer soit par un reflet, soit par une focalisation.

CHAPITRE 11

L'IMPLICATION
DE L'AIDANT

L a personne qui demande de l'aide possède
une histoire qui l'a marquée : elle a eu tels
parents, grandi dans tel environnement, vécu telle crise, etc. La
façon dont elle perçoit l'aidant et interagit avec lui s'explique donc
en partie par son vécu antérieur et extérieur à l'entrevue.

On appelle *transfert* l'ensemble des réactions, positives ou
négatives, que l'aidé éprouve à l'endroit de son aidant et qui ne
sont pas provoquées par le comportement de ce dernier, mais qui
proviennent de son histoire personnelle (voir Gelso et Fretz, 1991,
p. 130-136).

Ces réactions sont un révélateur de ses problèmes, et, dans
l'approche analytique, l'essentiel de la thérapie consistera à les
déceler et à en comprendre l'origine, pour mieux pouvoir s'en
dégager par la suite.

Un aidant qui se fixe cet objectif sera donc porté à éviter de
s'impliquer dans la relation, de manière à demeurer un miroir.
L'idée est alors la suivante : plus l'aidant demeure anonyme et
neutre, plus l'aidé sera amené à se réapproprier son vécu, c'est-à-
dire à réaliser que ses réactions actuelles sont provoquées non pas
par le comportement de l'aidant, mais par la façon dont il a appris
à réagir, au fil des années.

L'AIDANT : UN MIROIR OU UN LIVRE OUVERT ?

Il n'est pas évident que l'aidant soit un être neutre qui flotte
au-dessus de la situation. Les réactions de l'aidé sont aussi en partie

provoquées par les interventions et le comportement de son aidant. Ce dernier exerce un impact direct, autant par ce qu'il fait que par ce qu'il omet de faire, délibérément ou inconsciemment.

C'est pourquoi beaucoup d'aidants disent que leur principal outil de travail n'est pas le transfert, mais leur propre personne et leur propre vécu. S'il veut être authentique, l'aidant ne doit pas, selon eux, limiter son écoute aux informations qui lui parviennent de l'aidé, mais il doit inclure celles qui proviennent de son propre organisme, habituellement en réaction à ce que l'aidé est en train de vivre ou d'exprimer.

Cela exige de la pratique, ce qui nous amène à voir l'authenticité ou la congruence à la fois comme une *attitude* et comme une *habileté*. Pour pouvoir se placer dans sa *caisse de résonance empathique*, l'aidant doit faire temporairement abstraction de son propre univers (de ses idées, valeurs et sentiments) pour s'immerger dans celui de son aidé.

L'aidant ne doit pas laisser son vécu faire obstacle à l'exploration de son aidé. Mais cela dit, ceux qui voient l'aidant comme un *livre ouvert* estiment que celui-ci peut investir ses réactions dans la relation pour stimuler l'exploration de l'aidé : « L'impact le plus fort pour l'aidé peut être d'observer ce que l'aidant fait et ce qu'il est : une personne qui se bat elle aussi, qui évolue, prend des risques, fait des erreurs et vit de l'ambivalence, des frustrations, des échecs... » (Gilland et collègues, 1989, p. 7).

À certains moments, l'aidant peut ainsi communiquer des sentiments aussi variés que son ennui, sa surprise, son inconfort ou sa peur par rapport à ce que l'aidé est en train d'exprimer, sa satisfaction ou sa déception face au déroulement de l'entretien, sa tristesse ou son affection...

LORSQUE L'AIDANT RÉSISTE

La résistance est la peur de voir et d'exprimer la réalité telle qu'elle est. Il est difficile d'affirmer que l'aidant n'a jamais peur de voir et d'exprimer ses sentiments et ses fantasmes tels qu'ils existent. Il peut, par exemple, être porté à nier qu'il se sente troublé par telle parole ou tel fantasme de l'aidé, ou bien menacé par ses réflexions sur la mort ou par la dépendance que celui-ci a acquise par rapport à lui...

L'aidant peut être réticent à s'avouer à lui-même comment il se sent, et, à plus forte raison, à communiquer ces sentiments à son aidé, de peur de devoir faire face aux réactions que cette communication déclencherait chez ce dernier.

Il sera alors porté à se réfugier derrière les principes : « Un bon aidant demeure objectif », « Il faut se centrer sur l'aidé », et derrière les techniques : reflets, silences, etc. Mais l'aidé risque alors de sentir qu'il se passe quelque chose d'anormal, ou qu'il a dit ou fait des choses tellement menaçantes que l'aidant s'avère incapable d'y faire face.

LES LIMITES DE NOTRE MODÈLE D'INTERVENTION

Le modèle d'intervention présenté plus haut ne permet pas à l'aidant d'exprimer son vécu. Il prévoit deux types principaux d'intervention, soit le retour en plus clair de ce qui a été exprimé par l'aidé, et l'apport de connaissances en psychologie ou d'autres connaissances professionnelles. Or, les sentiments et les réactions de l'aidant ne sont ni un simple reflet du vécu de l'aidé, ni une interprétation, ni une information spécialisée relative à ce vécu.

Et pourtant, Rogers présente la congruence ou l'authenticité comme un ingrédient de base de la relation d'aide (Rogers et Sanford, 1985, p. 1380). C'est d'ailleurs fréquemment un manque de congruence qui amène les gens en relation d'aide. Ceux-ci ont souvent besoin de se faire aider justement parce qu'ils en sont venus, avec le temps, à se couper de leur réalité intérieure, ce qui les laisse désorientés et impuissants face aux décisions à prendre. Ils auront donc profit à entrer en contact avec un aidant qui est lui-même congruent. C'est pourquoi un aidé ne pourra pas vraiment progresser auprès d'un aidant qui est peu en contact avec lui-même et qui ne se permet pas d'exprimer ses propres sentiments.

DEUX AJOUTS À NOTRE MODÈLE

Ces développements nous amènent à combler une lacune du modèle présenté plus haut, en y ajoutant une *caisse de résonance personnelle* et un *réservoir d'expériences passées* (voir figure 10).

L'aidant utilise la caisse de résonance personnelle pour répondre à la question suivante : « Comment est-ce que je réagis à ce que l'aidé est en train de vivre ou d'exprimer ? » La réponse pourra se traduire par des sentiments ou des images qui ont un rapport immédiat avec le vécu de l'aidé. L'aidant pourra dire, par exemple : « C'est comme si je te sentais ligoté sur la voie ferrée et que j'entendais siffler le train. Est-ce que ça te dit quelque chose ? »

Il se peut que l'aidé n'ait exprimé jusqu'ici ni son impuissance ni l'urgence de sa situation (par exemple, s'il se défend contre son anxiété en niant ses problèmes). Dans un tel cas, le sentiment qui se développe dans la caisse de résonance de son aidant pourra le mettre en contact avec ces sentiments réprimés.

Quant au réservoir personnel, il contient les expériences passées de l'aidant. Il ne s'agit pas de ses expériences *comme aidant*, car celles-ci sont venues enrichir son savoir professionnel, et, à ce titre, elles appartiennent plutôt à son *réservoir de connaissances en psychologie*. Il s'agit plutôt de ses expériences humaines proprement dites, telles qu'il les a accumulées au fil des ans.

L'aidant va puiser à l'occasion dans ce réservoir en se posant la question suivante : « Ce que l'aidé est en train de vivre ou d'exprimer rejoint-il quelque chose dans mon vécu passé ? » Par exemple, l'aidé sent qu'il devrait peut-être s'engager dans une thérapie, mais cette perspective le déprime et l'amène à dire : « Je ne pensais pas que j'étais si malade... » Sur ce, l'aidant lui dit : « Tu sais, les thérapies ne sont pas réservées aux gens perturbés. J'en ai suivi une pendant deux ans et ça m'a beaucoup aidé à me comprendre et à me simplifier la vie. » Il ne s'agit pas ici d'un *sentiment* qui surgirait dans la caisse de résonance personnelle, mais d'une *confidence* que l'aidant fait en allant puiser dans son réservoir d'expériences passées.

Figure 10   Un modèle de la relation d'aide (version complète)

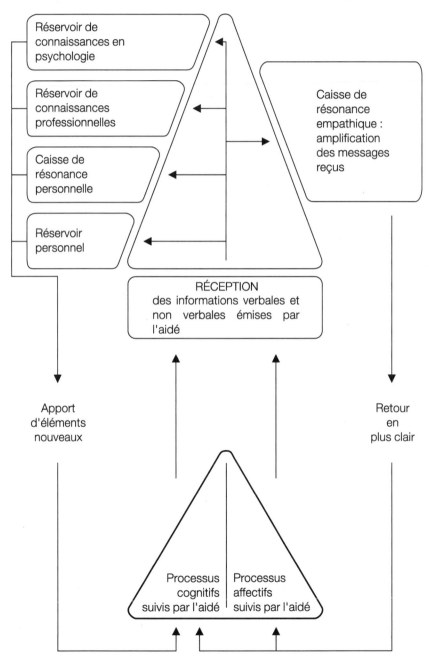

En faisant cette confidence, l'aidant ne cède toutefois pas au simple attrait du plaisir, même s'il est toujours plaisant de parler de soi ! S'il intervient de la sorte, c'est qu'il estime que cette confidence aura un effet stimulant sur le processus exploratoire suivi par son aidé (ici, un effet de soutien, en permettant à l'aidé de dédramatiser la perspective de s'engager dans une thérapie).

Voici toutefois une petite mise en garde : si l'aidant sent que ce qu'il veut exprimer n'est pas clair, il est préférable de s'abstenir de s'impliquer. Un message embrouillé pourrait l'entraîner plus loin qu'il ne l'aurait voulu, ou compliquer inutilement la tâche de l'aidé.

L'EXEMPLE DE L'IMPLICATION D'UN AIDANT

Le psychologue américain Jourard voit l'aidant comme un « guide existentiel » qui communique à l'occasion à son aidé ses découvertes et ses prises de conscience : « Je n'hésite pas à partager n'importe laquelle de mes expériences de blocage existentiel qui se rapprocherait de ce que l'aidé est lui-même en train de vivre », ce qui équivaut à puiser dans ce que nous avons appelé le *réservoir personnel*. Et il ajoute : « Je n'hésite pas non plus à partager mon expérience de l'aidé, de moi-même, de notre relation, à mesure que cette expérience se déroule d'un moment à l'autre », ce qui équivaut à notre *caisse de résonance personnelle*.

Cela rejoint la position de Rogers et Sanford (1985, p. 1381), de même que celle d'un autre spécialiste de la formation à la relation d'aide : « À mesure que les aidants en viennent à faire confiance à leur instinct, ils se libèrent de l'interdiction d'exprimer leurs sentiments ou leurs opinions, et ils se sentent relativement libres de se révéler » (Kennedy et Charles, 1990, p. 157).

Ces auteurs distinguent trois situations qui se prêtent bien à une telle implication de l'aidant :

1. Lorsque l'aidant ne saisit pas bien ce que l'aidé essaie de lui communiquer. L'expression honnête de sa confusion ou de sa difficulté à se situer dans la relation semble alors appropriée.

2. Lorsque l'aidant se sent distrait par un sentiment qui l'empêche de se faire vraiment présent à son aidé. Il faut toutefois se

souvenir que « toute vérité n'est pas bonne à dire » et discerner entre les confidences qui aideront à clarifier le climat et celles qui ne feraient qu'ajouter à la confusion de l'aidé (par exemple, si l'aidant disait à une aidée qui en a déjà plein les bras avec ses problèmes, qu'il se sent attiré par elle). Dans ce dernier cas, mieux vaudrait, pour l'aidant, travailler cette difficulté avec quelqu'un d'autre, en dehors des entretiens.

3. Lorsque l'expression par l'aidant de son intérêt non possessif pour l'aidé découle naturellement de la dynamique de la relation. Dans un contexte de transparence et de gratuité, une telle expression peut s'avérer une expérience très positive pour l'aidé.

LA RECHERCHE SUR L'IMPLICATION

Le fait qu'un meilleur contact avec ses sentiments favorise l'implication de la part de l'aidant semble confirmé par certaines recherches (Robbins et Jolkovski, 1987, p. 276-282). Ces auteurs concluent qu'un aidant qui comprend mieux ses réactions se sent plus libre de s'engager dans la relation, tandis qu'un aidant qui se méfie de lui-même sera porté à se limiter à ses techniques.

Plusieurs chercheurs distinguent entre l'implication de l'aidant par rapport à ce qui se passe actuellement dans la relation (interventions à partir de la *caisse de résonance personnelle*) et les confidences de l'aidant (interventions à partir du *réservoir d'expériences passées,* ou *réservoir personnel*).

Par exemple, la phrase suivante : « J'apprécie le fait que vous soyez clair et direct avec moi » est une intervention à partir de la caisse de résonance personnelle, parce qu'elle concerne un sentiment vécu ici et maintenant par l'aidant. Quant à la phrase suivante : « Quand j'étais aux études, moi non plus je n'étais pas sûr de ce que je voulais faire plus tard », elle constitue une intervention effectuée à partir du réservoir d'expériences passées (Watkins et collègues, 1990, p. 139).

Différentes recherches donnent à penser que les interventions effectuées à partir de la caisse de résonance personnelle sont plus productives, tandis que celles réalisées à partir du réservoir d'expériences passées risquent de distraire l'aidé de son vécu ici et maintenant (Woody et collègues, 1989, p. 64).

Des recherches plus récentes portent toutefois à croire qu'il ne faut pas généraliser ces tendances (Hill, 1992, p. 697). Mieux vaut donc, pour l'instant, faire un usage prudent et judicieux de ces deux types d'intervention.

LA SURIMPLICATION ÉMOTIVE

Si l'aidant peut omettre de s'impliquer suffisamment, il peut aussi s'impliquer exagérément, comme s'il perdait le sens des frontières entre son vécu personnel et celui de son aidé. Cette surimplication peut s'expliquer de différentes façons.

Les causes de la surimplication

La difficulté d'accepter ses limites personnelles

Le fait que nous ne soyons pas tout-puissants représente une atteinte à notre image de soi, au sentiment de notre valeur personnelle. Il y a un sauveur qui dort en chacun de nous et qui rêve d'intervenir à point nommé dans l'existence des autres pour les tirer de leur pétrin et apaiser leurs peurs, leur colère, leur tristesse ou leur culpabilité.

La dynamique du sauveur se traduit pour l'aidant par un besoin plus ou moins conscient d'être plus habile et plus efficace, plus sensible et plus empathique, plus disponible et plus chaleureux.

L'aidant qui s'est réconcilié avec ses limites personnelles a exorcisé ce désir de toute-puissance, pour se dire : « Je suis un humain et je ne suis que cela, je suis un aidant qui peut, parfois et dans une certaine mesure, faciliter la route de ses aidés, et je ne suis que cela. »

La difficulté d'assumer sa propre souffrance

Chacun porte un jour ou l'autre une certaine quantité de souffrance. Lorsqu'on a suffisamment progressé dans l'apprivoisement de celle-ci, on cesse de trouver dramatique le fait que les autres doivent souffrir eux aussi. On est alors moins porté à intervenir à contretemps pour tenter de les soustraire à leur réalité.

La difficulté d'accepter sa solitude

Même dans les relations les plus gratifiantes, nous sommes fondamentalement seuls. Personne ne peut prendre indéfiniment la responsabilité de notre vie, et nous ne pouvons pas, en retour, prendre indéfiniment la responsabilité de la vie des autres. Au-delà du bon vouloir de nos proches, nous sommes ultimement les seuls responsables de notre vie, et, au-delà de notre bon vouloir, les autres sont ultimement responsables de la leur.

L'aidant qui a suffisamment progressé dans la prise de conscience de cette réalité existentielle devient davantage capable de laisser son aidé être différent de lui sans sentir qu'il se trahit lui-même en tolérant des choix qu'il n'approuve pas, ou qu'il trahit l'autre en le laissant vivre sa recherche par essais et erreurs.

L'interférence des affaires non finies

Le débordement des frontières peut aussi découler de conflits non résolus ou de blessures non guéries avec les proches. Par exemple, lorsque l'aidé aborde la question d'une relation extraconjugale, l'aidant réagit inconsciemment avec la souffrance que son propre conjoint lui a causée, ou avec la culpabilité qu'il a lui-même éprouvée dans une situation analogue. Ou encore, lorsque l'aidé aborde le manque d'affection dont il souffre de la part de ses parents, l'aidant réagit inconsciemment avec la nostalgie de l'affection qui lui a manqué à lui aussi.

La difficulté de dire non

Enfin, l'aidant peut avoir de la difficulté à repousser délicatement mais fermement les demandes de son aidé qu'il estime en dehors de son rôle. Ces demandes peuvent prendre des formes variées. L'aidé peut téléphoner fréquemment à son aidant, lui demander des services comme de lui prêter de l'argent, lui proposer des sorties, lui demander d'intervenir pour lui auprès de différentes personnes, désirer prolonger les entretiens ou en augmenter la fréquence...

Un aidant porté à se surimpliquer peut communiquer à son insu le message qu'il est correct pour l'aidé de faire de telles demandes. À l'inverse, un aidant qui a une image plus claire de son rôle aura plus de chances de dire à l'aidé, dès le début de son intervention, ce qu'il est prêt à lui offrir, et de s'y tenir par la suite.

Les conséquences de la surimplication

Une trop forte implication de l'aidant peut entraîner différentes conséquences indésirables, que ce soit pour lui-même, pour l'aidé ou pour leurs proches. La surimplication, en effet, peut :

— amener l'aidant à *dépasser les limites de son rôle*, qui est celui d'une ressource d'appoint plutôt que d'une relation stable, comme celles entre parents et enfants ou entre mari et femme ;

— provoquer un *détournement d'énergie*, l'énergie que l'aidant investit d'une façon excessive dans cette relation n'étant plus disponible pour ses proches et pour les autres personnes auprès de qui il intervient ;

— amener l'aidant à *entrer en compétition* avec les partenaires de l'aidé : conjoint, parents, enfants ; pour ne pas être déclassés aux yeux de l'aidé, ceux-ci seront amenés à rivaliser de soutien avec l'aidant ;

— risquer alors *d'amplifier le sentiment d'impuissance* et de *culpabilité* des proches, qui ne réussissent pas à être aussi présents, efficaces ou appréciés que l'aidant ;

— mettre l'aidé *en position de devoir choisir* entre son lien avec l'aidant et sa relation avec ses proches, surtout si ceux-ci manifestent de l'hostilité à l'endroit de l'aidant ; cette dynamique entraîne alors chez l'aidé la peur de perdre sur les deux terrains.

Indices d'une surimplication émotive

Le phénomène du débordement des frontières survient subtilement, mais il peut être détecté à partir de plusieurs indices. En voici quelques-uns :

1. Être inhabituellement habité entre les entrevues par le vécu de l'aidé. Par exemple, se sentir inhabituellement triste ou préoccupé de ce qui lui arrive, ou encore, rêver fréquemment à lui ou à elle.

2. Lui donner à plusieurs reprises un soutien et un encouragement qu'on ne donne pas aux autres aidés, ou lui offrir une disponibilité qu'on n'offre pas aux autres.

3. Partager à plusieurs reprises avec lui des éléments de son vécu qu'on ne partage pas avec les autres aidés.

4. Être inhabituellement habité entre les entrevues par les paroles d'appréciation ou par les reproches ou comparaisons plus ou moins subtils de son aidé.

5. Penser plus souvent que d'habitude au fait que l'accompagnement va se terminer un jour, et avoir le goût de tenter de le prolonger.

6. Se sentir inhabituellement évaluatif à l'endroit des personnes qui sont en conflit avec l'aidé, et lui conseiller avec insistance de se sortir rapidement de ces situations, par une rupture, un divorce, une démission, etc.

7. Intervenir à plusieurs reprises pour lui en dehors des entrevues : appels téléphoniques, démarches, services divers...

8. Être exceptionnellement tolérant à l'égard des dérangements que l'aidé provoque ou sollicite : changements d'horaire, prolongement des entrevues, déplacement des fauteuils...

9. Se sentir critique à l'endroit des autres personnes qui donnent à l'aidé soutien ou assistance.

Les développements qui précèdent illustrent le *contre-transfert*, que l'on a présenté plus haut comme la réactivation des problèmes personnels de l'aidant au contact de la personne de l'aidé et de ses problèmes. Le contre-transfert est un phénomène paradoxal, parce qu'il tend à amener l'aidant à la fois à se surimpliquer et à se désengager, c'est-à-dire à se tenir sur la défensive par rapport à ce que l'aidé lui fait vivre, ce qui fait qu'il est peu porté à clarifier ce vécu avec lui.

La meilleure façon pour l'aidant de se prémunir contre ce phénomène consistera alors à se poser la question suivante : « Comment est-ce que je me sens actuellement face à ce qui est en train de se passer dans l'entrevue ? », ou : « Qu'est-ce qui se passe actuellement dans ma caisse de résonance personnelle ? »

À défaut de le renseigner sur lui-même, le fait de se poser cette question permettra parfois à l'aidant de mieux saisir le vécu de son aidé. Par exemple, si l'aidant se sent bloqué, c'est peut-être que l'aidé lui communique sa propre impuissance. S'il se sent frustré, c'est peut-être que son aidé manifeste une hostilité voilée. S'il se sent abattu, c'est peut-être que son aidé est dépressif. S'il se sent mal à l'aise, c'est peut-être que son aidé est anxieux et lui communique ses peurs, etc. (Kennedy et Charles, 1990, p. 40-45). L'aidant peut ainsi utiliser sa caisse de résonance personnelle pour formuler son diagnostic.

L'IMPLICATION SEXUELLE

Quelques mots, en terminant, sur l'implication sexuelle. Notre époque est plus permissive à l'égard de l'activité sexuelle entre adultes consentants. Mais il n'est pas évident que cette permissivité doive s'étendre au contexte de la relation d'aide.

Beaucoup de personnes demandent de l'aide parce qu'elles souffrent de solitude et ont des besoins affectifs non comblés, tandis que d'autres traversent des crises d'identité qui les rendent confuses par rapport à ce qui leur convient vraiment. Ces personnes sont ainsi davantage susceptibles qu'en temps normal de s'engager dans une relation d'intimité sexuelle qui ne leur convient pas mais dont leur aidant peut prendre l'initiative pour répondre à ses propres besoins.

L'aidant se trouve dans une position de pouvoir. Il représente la stabilité émotive et la sécurité, il est celui qui accueille et qui comprend. Cette situation est de nature à engendrer des fantasmes sexuels, soit de la part de l'aidée à l'endroit de son aidant, soit, inversement, de la part de l'aidant à l'endroit de son aidée.

Au cours d'une étude menée en 1977 auprès de 500 thérapeutes masculins et de 500 thérapeutes féminins, 5,5 % des
hommes et 0,6 % des femmes (soit neuf fois plus d'hommes que de
femmes) ont rapporté avoir eu des relations sexuelles avec leurs
aidées ou aidés (Holroyd et Brodsky, 1977, cités par Lecompte et
Gendreau, 1984, p. 4).

Mais au cours d'une autre étude menée deux ans plus tôt, 95 %
des thérapeutes en cause estimaient que cette expérience n'avait
pas été profitable à leur aidée, et disaient l'avoir vécue dans la
culpabilité et la peur (Butler, 1975, cité par Lapierre et Valiquette,
1984, p. 5).

Certains auteurs estiment que le déséquilibre de la relation en
faveur de l'aidant continue d'exister même après la fin de la relation
d'aide, de sorte que la vulnérabilité de l'aidée justifie le maintien de
l'interdiction des relations sexuelles.

Un auteur assimile même au tabou de l'inceste cette interdiction des relations sexuelles entre aidant et aidé (Stein, 1990,
p. 107) : si « l'inceste ne devient pas plus acceptable une fois que
la fille a quitté le domicile familial », les relations sexuelles entre
aidant et aidée ne le deviennent pas plus, elles non plus, une fois
que la relation d'aide est terminée. À l'appui de sa façon de voir, cet
auteur remarque que l'État de la Floride interdit *à perpétuité* les
relations sexuelles entre un psychiatre et sa cliente...

En cette matière, l'aidant se trouve ainsi face à trois défis. Il doit
d'abord demeurer en contact avec ses propres besoins et fantasmes
dans sa façon de vivre sa relation avec son aidée. Il doit ensuite
apprécier le besoin affectif immédiat de son aidée et le sien *dans le
contexte de l'ensemble de la vie de son aidée et de la sienne propre.*
Enfin, à plus long terme, il doit aménager son existence personnelle de manière que ses besoins d'intimité affective et sexuelle
soient comblés d'une façon satisfaisante et régulière ailleurs et
autrement que dans son travail d'aidant (voir Justes, 1985, p. 279-
299, et Lapierre et Valiquette, 1989).

Les aidants qui se verraient aux prises avec des difficultés sur le
plan de l'implication sexuelle ne devraient pas hésiter à solliciter
une supervision sur cette question.

EN CONCLUSION

L'implication de l'aidant demeure un sujet controversé (Simon, 1990, p. 208). Certains préfèrent l'approche traditionnelle, qui laisse à l'aidé l'espace et le temps requis pour qu'il fasse lui-même ses prises de conscience (Jackson, 1990, p. 101).

D'autres aidants estiment que leur implication peut servir de modèle à leurs aidés, sur les plans de l'acceptation de soi et de ses limites, de la spontanéité, de l'affirmation de soi, de la capacité de gérer les situations problématiques de la vie... L'implication de l'aidant aiderait, de plus, à créer un climat de proximité, de confiance et de respect (Simon, 1990, p. 213, et Stricker, 1990, p. 289).

Nous croyons, quant à nous, qu'il y a un équilibre à maintenir entre l'absence d'implication et de spontanéité, d'une part, et la surimplication, d'autre part. Cet équilibre n'est pas un point fixe, constituant plutôt un axe mobile dans la polarité *présence-détachement*.

Un bon aidant est pleinement présent à son aidé tout au long de l'entretien et il se montre capable d'authenticité à son endroit. Mais il est également capable de *le laisser vivre ce qu'il a à vivre et de le laisser aller* quand l'entretien est terminé. Pour cela, il lui faut croire que l'aidé a des ressources et est le seul à assumer la responsabilité ultime de ses décisions et de ses actes.

CHAPITRE **12**

L'INTERPRÉTATION

Par le reflet, on se limite à nommer ce que l'aidé a exprimé plus ou moins clairement. L'interprétation propose une *signification possible* de ce qui a été exprimé. Interpréter, c'est ainsi chercher à comprendre et à faire comprendre un sentiment ou un comportement.

Face à un aidé qui pleure, l'aidant peut dire : « Ça te fait mal de penser à cela », auquel cas il utilise le reflet. Mais il peut dire aussi : « Je pense que tu pleures pour ne pas te mettre en colère », auquel cas il fait une interprétation.

Une personne qui est contrariée et qui dit « Je ne sais pas pourquoi je pleure » ne vit sûrement pas de la tristesse. Il ne serait donc pas approprié de lui refléter une tristesse qu'elle n'éprouve pas. Mieux vaut alors utiliser la focalisation et lui demander : « Comment te sens-tu actuellement ? » Une telle intervention pourrait mettre le sujet en contact avec sa frustration. Mais celui-ci pourrait aussi répondre : « Je ne sais pas. » C'est à ce moment que certains aidants choisiront de recourir à l'interprétation en disant, par exemple : « Je pense que tu pleures pour éviter de te mettre en colère », ou mieux : « Est-ce que ça se pourrait que tu pleures pour éviter de te mettre en colère ? »

Comme le reflet, mais avec une plus grande marge d'erreur, l'interprétation est en effet une hypothèse que l'aidant formule, et il est toujours plus prudent de la présenter sous un mode interrogatif.

L'INTERPRÉTATION ET LE DIAGNOSTIC

L'interprétation ressemble au diagnostic, mais elle s'en distingue aussi. Diagnostic et interprétation sont tous deux des hypothèses émises par l'aidant, par suite de son écoute de l'aidé. Mais le diagnostic se présente comme englobant, alors que l'interprétation se limite à un aspect du vécu de l'aidé.

Ensuite, le diagnostic est normalement conçu *pour usage interne*, c'est-à-dire pour les besoins de l'aidant, tandis que l'interprétation est une *intervention* par laquelle l'aidant communique à son aidé ce qu'il pense avoir compris sur le fonctionnement de ce dernier.

Cela ne veut cependant pas dire que l'aidant doit se sentir obligé de communiquer à son aidé toutes les interprétations qui lui viennent à l'esprit. Il peut se dire, par exemple : « L'automobile que mon aidé vient de donner à sa fille de seize ans, c'est l'automobile qu'il désirait lui-même et qu'on lui a refusée quand il avait son âge », ou : « Je pense qu'il lui a donné cette automobile parce qu'il se sent coupable de ne jamais être à la maison », ou encore : « Il lui a donné cette auto parce que le voisin avec lequel il se sent en compétition vient lui-même d'en donner une à son fils. »

Avant de faire une interprétation, comme d'ailleurs avant d'effectuer quelque intervention que ce soit, l'aidant doit se demander : « Ce que je me propose de dire est-il de nature à stimuler le processus exploratoire de mon aidé ? », « Serai-je plus utile en intervenant ou en respectant le silence ? en reflétant ou en focalisant ? en interprétant ou en confrontant ? », etc.

CINQ TYPES D'INTERPRÉTATION

À la suite de Hill (1992, p. 690), on peut répartir les interprétations dans les cinq catégories suivantes :

1. Les *connexions*, qui établissent des liens entre des éléments sans rapport apparent, que ce soit des verbalisations de l'aidé, ou encore des problèmes ou des événements vécus par celui-ci. L'aidant pourra établir un tel lien, par exemple, si l'aidé dit qu'il est mal à l'aise dans un groupe, et s'il dit par ailleurs qu'il a une faible estime de lui-même et qu'il est toujours porté à se juger.

2. Les *thèmes* ou les *constantes* que l'aidant observe chez l'aidé. L'aidant dira, par exemple : « Je remarque que chaque fois que

ton épouse a un succès au travail, tu as des reproches à lui faire. Est-ce que ça se pourrait que quelque chose te rende mal à l'aise dans ses réussites ? »

3. L'*approche freudienne*, centrée sur les phénomènes de défense, de résistance ou de transfert. L'aidant recourt à ce type d'interprétation lorsqu'il attire l'attention de l'aidé sur sa façon de se protéger dans la vie (défense) ou durant l'entrevue (résistance), ou encore sur les interférences que son expérience passée introduit dans sa façon de réagir à l'aidant (transfert).

4. *La mise en lumière d'affaires non finies* qui contaminent l'expérience présente de l'aidé en dehors des entretiens. Par exemple, l'aidant explique à l'aidé que le fait que celui-ci ait perdu sa mère en bas âge le porte à être très sensible aux gens qui sont vulnérables, comme si le fait de s'occuper de la misère des autres lui permettait de soigner sa propre blessure.

5. Enfin, la *mise en perspective*, qui vise à permettre à l'aidé de porter un regard nouveau sur ses vieux problèmes. Par exemple, l'aidant dira : « Le fait d'avoir perdu ton père en bas âge t'a privée d'une source d'affection qui t'a beaucoup manqué à certains moments. Mais en même temps, est-ce possible que ça t'ait amenée à te prendre en main plus tôt et à acquérir une autonomie qui t'a bien servie par la suite ? »

On pourrait peut-être trouver d'autres types d'interprétation, et une interprétation donnée peut parfois appartenir à plus d'une catégorie parmi les cinq qui sont présentées plus haut. Malgré ses limites, cette catégorisation nous permet de nous familiariser avec ce type d'intervention.

L'INTERPRÉTATION COMME REFLET EN PROFONDEUR

L'interprétation émane des connaissances et de l'expérience de l'aidant. Selon le modèle présenté à la page 127, c'est dans ses deux réservoirs de connaissances qu'il puise pour offrir son interprétation.

Prenons l'exemple d'une aidée qui parle de son goût d'ouvrir une résidence pour personnes âgées, mais qui mentionne aussi son désarroi de voir ses deux adolescentes devenir de plus en plus indépendantes. Son aidante lui propose alors l'interprétation suivante : « Votre désir d'ouvrir une résidence, c'est peut-être pour continuer de vous sentir utile puisque vos filles ont maintenant moins besoin de vous... »

Cette intervention a pour effet de favoriser une prise de conscience de la part de l'aidée : « Je pense que oui, parce que c'est toujours pendant mes périodes creuses que je reprends cette idée. » Ce à quoi l'aidante réplique : « Ça serait plus facile de laisser aller vos filles si vous pouviez continuer de vous dévouer ailleurs ? » (Ce qui est encore une interprétation des rêves ou des projets de l'aidée.)

Ces deux interprétations proviennent probablement du réservoir de connaissances en psychologie de l'aidante. Celle-ci connaît peut-être le modèle du *cycle de vie* d'Erikson, ce qui lui permet de discerner le défi auquel son aidée se trouve confrontée, soit d'éviter la stagnation en trouvant de nouvelles façons de vivre sa fécondité. Ou encore, l'aidante utilise peut-être le concept de *crise postparentale*, familièrement connue sous le nom de *crise du nid vide*.

Ces connaissances permettent donc à l'aidante de saisir plus rapidement et plus précisément la dynamique du vécu de son aidée, et de lui proposer cette compréhension. Mais il serait aussi exact de concevoir ces deux interventions comme une percée dans l'univers de l'aidée qui serait juste un peu plus pénétrante que le reflet. (Cela est encore plus vrai pour la deuxième intervention.)

L'étymologie nous aide à discerner cette parenté étroite de l'interprétation et du reflet. Au verbe *interpréter*, le dictionnaire latin dit, entre autres : « éclaircir, traduire, comprendre, chercher à démêler ». Il en va de même dans l'approche freudienne, où *interpréter* signifie « amener à la surface la signification latente de ce que le sujet dit ou fait » (Laplanche et Pontalis, 1973, p. 227).

Dès lors, l'aidant ne fait pas des choses très différentes lorsqu'il tente de refléter le vécu sous-jacent de l'aidé et lorsqu'il entreprend de démêler, de comprendre et de traduire ce vécu.

On pourrait objecter qu'un reflet constitue un retour direct, alors que l'interprétation ne sera toujours qu'une hypothèse. Mais cette distinction n'est pas si étanche qu'elle en a l'air. Certaines interprétations possèdent un haut degré de probabilité, tandis que, à l'inverse, tout reflet demeure une hypothèse. L'aidant qui utilise le reflet déduit toujours un sentiment ou un contenu cognitif des indices verbaux et non verbaux qu'il a cru percevoir et qu'il a décodés chez son aidé.

L'expérience confirme d'ailleurs que plusieurs reflets sont inexacts. Par exemple, quelqu'un voit son interlocuteur essuyer une larme au coin de son œil et lui reflète : « Ça te rend triste de parler de ça », et ce dernier lui répond : « Non, je viens de bâiller et j'ai toujours une larme quand je bâille. »

LE POUR ET LE CONTRE

L'interprétation ne fait pas l'unanimité. Alors que certains en font un instrument privilégié, d'autres la rangent carrément dans la catégorie des interventions indésirables. Par exemple, Mucchielli (1980, p. 35) affirme que lorsque l'aidant interprète, il « projette sa propre manière de comprendre, son choix personnel ou sa théorie », ce qui entraîne « nécessairement une distorsion » par rapport à ce que l'aidé tente d'exprimer.

L'aidé ne pourra alors réagir que négativement à une interprétation, soit par une baisse d'implication dans l'exploration de son vécu, soit par des résistances de plus en plus explicites.

Mais déjà en 1942, alors qu'il publiait la première conceptualisation de ce qui allait devenir plus tard l'*approche centrée sur le client*, Carl Rogers (1970 pour l'édition française, p. 39) se montrait plus nuancé par rapport à la question. L'essentiel de sa pensée à ce propos peut être résumé de la façon suivante :

1. Si l'aidant réussit à créer un climat d'acceptation, l'aidé cheminera à son propre rythme vers ses prises de conscience et effectuera *la plupart* de celles-ci spontanément.

2. Si l'aidé n'est pas arrivé là ou s'il résiste, l'interprétation ne lui sera d'aucun secours. Il est donc erroné de croire que « tout ce

qu'il faut faire pour aider le sujet, c'est de lui expliquer les causes de son comportement ».

3. Il demeure cependant vrai qu'une « utilisation prudente et intelligente de techniques interprétatives puisse accroître l'étendue et la clarté de la compréhension de soi » (Rogers, 1970, p. 41 et 216).

4. Enfin, l'enjeu central de l'interprétation n'est pas sa valeur, qui est toujours présupposée, mais son à-propos, c'est-à-dire le fait qu'elle ne soit pas prématurée, qu'elle ne soit pas présentée à un moment où l'aidé n'est pas encore prêt à l'accepter.

Rogers (1970, p. 206) est catégorique à ce sujet : on ne gagne rien, affirme-t-il, à discuter une interprétation. Si cette dernière n'est pas acceptée, la non-acceptation est un fait important. L'interprétation doit être abandonnée, et ce, même si l'aidant est certain qu'elle est exacte.

Dans la logique de notre modèle, on pourrait traduire ainsi : tout de suite après avoir fourni son apport (à gauche), l'aidant se déplace vers la droite pour aller vérifier l'impact de cet apport sur le champ perceptuel de l'aidé (par le décodage empathique). S'il constate que son aidé réagit en rejetant hors de son champ cette interprétation qui lui apparaît comme un *corps étranger*, l'aidant ne gagnerait rien à tenter de l'y ramener de force.

Au fil des ans, Carl Rogers est devenu plus critique à l'égard de l'interprétation, qui risque, selon lui, d'entretenir la dépendance de l'aidé à l'endroit de l'aidant. Il estime que l'aidé peut « apprendre » à partir d'une « prise de conscience » déclenchée par une interprétation et « profiter » de cette prise de conscience (Rogers et Sanford, 1985, p. 1379). Mais cet aidé sera porté à donner le crédit de sa prise de conscience à son aidant, ce qui aura alors pour effet de le rendre « un peu plus dépendant » à l'endroit de celui-ci.

Rogers ne conteste donc pas l'efficacité comme telle de l'interprétation, lorsqu'elle est « exacte, appropriée et faite au bon moment ». Mais il redoute ses retombées sur l'image de soi de l'aidé. C'est pourquoi il préfère se limiter aux reflets en profondeur, lesquels « s'apparentent de très près à des interprétations », se disant que l'aidé fera ses prises de conscience quand il sera prêt,

« peut-être un peu plus tard », et deviendra de ce fait « un peu plus indépendant et un peu plus conscient de son pouvoir personnel ».

Ces craintes semblent justifiées dans le cas d'un aidant dont l'interprétation serait l'outil principal. Mais pour un aidant qui manierait d'une façon efficace le reflet et la focalisation, l'interprétation nous paraît un précieux outil d'appoint, et son efficacité se trouve d'ailleurs confirmée par l'ensemble des recherches récentes (Hill, 1992, p. 693).

Certains aidés y gagnent en effet à être stimulés *à l'occasion* dans leur exploration par des interprétations qui viendront catalyser des prises de conscience qui, autrement, n'auraient peut-être été faites que des mois ou des années plus tard, ou qui n'auraient peut-être jamais été faites. Et cela est d'autant plus vrai dans les cas de relation d'aide semi-formelle, où, à la différence de la thérapie classique, on ne peut pas compter sur des entrevues hebdomadaires qui s'échelonneront sur de long mois, voire sur une année ou deux.

L'INTERPRÉTATION ET LA FOCALISATION

Personne n'aime *se faire analyser*. Il est toujours intimidant pour l'aidé de se sentir à la merci de la personne qui l'observe et qui découvre avant lui les causes profondes de ses difficultés et de ses problèmes.

Nous aimons bien, par ailleurs, que quelqu'un nous aide à nous comprendre. C'est pourquoi l'aidant a souvent avantage à remplacer l'interprétation par une focalisation, qui peut donner les mêmes résultats sans les inconvénients. Comme on l'a vu plus haut, focaliser, c'est inviter l'aidé à diriger son attention sur un point précis de son champ de conscience.

Voici un exemple d'interprétation : « Se pourrait-il que vous n'aimiez pas voir votre photo de mariage sur le mur à cause de l'agressivité que vous éprouvez ces temps-ci face à votre conjoint ? » Et voici comment une focalisation pourrait remplacer cette interprétation : « Vous dites que vous n'aimez pas voir votre photo de mariage sur le mur, ces temps-ci. Vous êtes-vous demandé pourquoi ? »

Voici un autre exemple d'interprétation : « Je pense que ça vous agace que votre femme parle de travailler à l'extérieur parce que vous vous sentiriez diminué dans votre rôle de soutien de famille. Qu'en pensez-vous ? » Dans ce dernier cas, on pourrait focaliser comme suit : « Vous dites que ça vous agace que votre femme parle de travailler à l'extérieur. Pouvez-vous essayer de voir ce qui vous agace là-dedans ? »

Dans ces deux exemples, l'aidé se trouve dans la deuxième phase de son exploration, c'est-à-dire à l'étape de la compréhension. À ce stade, il cherche non plus à exprimer *comment* il se sent, ce qui a été fait à l'étape précédente, mais à comprendre *pourquoi* il se sent de cette façon. Et à cette étape, l'aidant sera plus efficace s'il peut intervenir à l'occasion autrement que par des reflets et des focalisations.

CHAPITRE 13

LA CONFRONTATION

Certains aidants utilisent une approche douce, accompagnant leur aidé sans le précéder et se contentant de refléter ce que celui-ci exprime à son rythme. D'autres se montrent plus actifs et prennent l'initiative de confronter leur aidé à la réalité de ses sentiments et de sa situation.

Les aidants de ces deux groupes conviennent du fait que l'aidé a besoin d'un climat de sécurité et de confiance pour s'engager et progresser dans sa démarche d'exploration. Et ils s'entendent aussi sur le fait que leur rôle est de stimuler cette démarche exploratoire.

Mais les tenants de l'approche plus active estiment qu'il est parfois utile de mettre l'aidé en déséquilibre, sans pour autant compromettre la relation de confiance établie entre eux. Ce type d'intervention est ce qu'on appelle la confrontation.

LA CONFRONTATION ET SES SOURCES

Confronter, c'est mettre l'aidé en déséquilibre, ou plus précisément, l'inviter à se remettre en question dans sa perception de lui-même ou de son entourage. Les psychologues Carkhuff et Berenson (1967, p. 172) définissent la confrontation comme « un défi lancé à l'aidé pour qu'il mobilise ses ressources et fasse un pas de plus en direction d'une reconnaissance plus profonde de ce qu'il est, ou qu'il entreprenne de son propre chef une action plus constructive ».

Cette approche nous ramène à la logique de base de notre modèle. On se souvient que la partie droite du modèle contient les interventions visant à amplifier ce qui se trouve déjà dans le champ de conscience de l'aidé, tandis que la partie gauche contient les interventions visant à introduire dans ce champ des éléments qui ne s'y trouvent pas encore.

Les quatre éléments de la partie gauche du modèle peuvent donner lieu à différentes formes de confrontation. L'aidant peut puiser dans son *réservoir de connaissances en psychologie* ou dans son *réservoir de connaissances professionnelles* des interprétations ou simplement des informations déséquilibrantes pour l'aidé.

Pensons à un aidé qui rejetterait l'homosexualité de son fils, la considérant comme une perversion, et à qui l'aidant dirait (après avoir dûment reflété ses différents sentiments, bien sûr) : « Vous savez, dans l'état actuel des connaissances, on n'est pas parvenu à associer l'homosexualité à aucun désordre précis de la personnalité. »

La *caisse de résonance personnelle* peut servir elle aussi à confronter l'aidé à des réalités dont il n'est pas conscient. Pensons à un aidant qui communiquerait à son aidé le sentiment suivant : « Tu me dis que c'est un bon débarras que ta blonde soit partie, mais moi je trouve ça difficile que tu me racontes ça. Est-ce que, d'une certaine manière, ça n'est pas un peu difficile pour toi aussi ? »

Le même impact pourra se produire si l'aidant puise dans son *réservoir d'expériences passées* des confidences qui sont de nature à inviter l'aidé à se remettre en question : « Tu me dis que le deuil de ton père est pas mal fini. C'est bien possible, mais en même temps, je ne peux pas m'empêcher de penser que mon père est décédé dans des circonstances semblables, et que, huit ans plus tard, il y avait encore des choses qui remontaient en moi. Est-ce que ça se pourrait que ce soit un peu la même chose pour toi ? »

LA CONFRONTATION ET L'ACCEPTATION

La confrontation vise à provoquer des prises de conscience et, par voie de conséquence, des changements éventuels de comportement. Or, vouloir amener l'aidé à changer, n'est-ce pas contraire aux exigences de l'acceptation inconditionnelle ?

L'acceptation inconditionnelle ne porte pas sur le fait de vouloir ou non amener l'aidé à changer. Si celui-ci est anxieux, déprimé ou manipulateur, tout aidant se sentira le devoir de l'aider à devenir plus calme, plus vivant ou plus capable d'exprimer directement ses besoins.

Il serait absurde de comprendre l'acceptation inconditionnelle comme l'obligation de laisser l'aidé à ses problèmes sous prétexte de le prendre tel qu'il est. Cette forme d'acceptation repose plutôt sur deux principes. D'abord, sur la conviction qu'il existe des raisons pour lesquelles l'aidé est anxieux, déprimé ou manipulateur. Ensuite, sur l'idée que celui-ci ne changera probablement que d'une façon lente et laborieuse.

L'aidant qui pratique l'acceptation inconditionnelle croit que les humains sont fragiles et imparfaits. Il accepte la condition humaine, avec son lot de toxicomanes, de conjoints violents, de parents inadéquats, de dépressifs profonds et de grands anxieux, etc.

Mais cet aidant entretient aussi la croyance complémentaire suivante : les humains sont capables d'améliorer leur fonctionnement, pourvu qu'on éprouve envers eux de la compréhension et de la patience et qu'on leur en manifeste suffisamment.

L'aidant « acceptant » reconnaît que son aidé fait l'expérience, lui aussi, de la condition humaine, et c'est à ce titre qu'il l'accueille, avec ses difficultés et ses résistances, avec les solutions discutables auxquelles il a recours pour régler ses problèmes.

L'acceptation dont il est question ici porte davantage sur la personne de l'aidé que sur son comportement, comme si l'aidant disait intérieurement à son aidé : « Je suis d'accord pour que tu survives, fût-ce avec les moyens inadéquats et coûteux que tu perçois actuellement comme étant les seuls à ta disposition. »

Mais il y a plus. Certaines recherches tendent à établir une corrélation entre le niveau d'acceptation de soi et la capacité d'acceptation d'autrui. Truax et Carkhuff (1967, p. 315), qui citent ces recherches, ont ce commentaire : « Il se pourrait que notre capacité d'entrer en relation avec l'aidé d'une façon à la fois chaleureuse et non possessive dépende de notre capacité d'éprouver de l'acceptation inconditionnelle pour notre propre moi — une acceptation à la fois de ce qui est bon et mauvais en nous. »

Les aidants capables d'acceptation auraient donc déjà eu l'occasion de se confronter à leur propre fragilité. C'est cette conscience de leur vulnérabilité, jointe à leur observation de la condition humaine, qui les ferait accéder à la croyance suivante : « Il n'y a aucun comportement, aussi déplorable puisse-t-il être par ailleurs, qu'on ne puisse poser, lorsqu'on s'est retrouvé au préalable dans les conditions difficiles qui le préparaient » (Combs et Avila, 1985, p. 142).

L'AIDÉ FAIT-IL TOUJOURS CE QU'IL PEUT ?

Si les aidants d'orientation rogérienne s'abstiennent d'utiliser la confrontation, c'est qu'ils estiment que l'aidé fait toujours ce qu'il peut, compte tenu de sa capacité *actuelle* de se comprendre et de se mobiliser.

Les aidants portés à confronter à l'occasion disent pour leur part que l'aidé ne fait pas toujours ce qu'il peut, qu'il pourrait parfois faire plus ou mieux, si on le mettait en situation de réfléchir sur son agir et de prendre le risque de changer. Ces aidants croient, par exemple, que beaucoup d'aidés restreignent leurs horizons ou se compliquent la vie avec des façons de voir qu'ils trouveraient eux-mêmes discutables si on les amenait à les regarder de près.

La divergence entre ces deux approches est cependant moins grande qu'il n'y paraît de prime abord. Un aidant expérimenté qui, en utilisant la confrontation, se heurte à une solide résistance, retirera la pression en se disant que son aidé fait présentement tout ce qu'il peut. En agissant ainsi, cet aidant porté à confronter pratique l'acceptation inconditionnelle au même titre que les aidants rogériens.

L'EXPLORATION ET LE CONTRÔLE

Il existe deux façons de confronter. On peut dire, par exemple : « Tu as deux divorces derrière toi et tu me dis que tu veux encore divorcer. Se pourrait-il qu'il y ait dans ton fonctionnement quelque chose qui soit en cause dans l'échec de tes relations de couple ? »

Dans cet exemple, on se situe dans une *dynamique exploratoire*, c'est-à-dire qu'on essaie d'amener l'aidé à se regarder de plus près. Mais on pourrait dire aussi : « Les fois précédentes, tu n'avais pas d'enfants. Cette fois-ci, tu savais ce que tu faisais et tu as des responsabilités. Tu ne trouves pas que tu devrais penser à une autre solution pour régler tes problèmes ? »

Dans ce dernier cas, on se situerait dans une *dynamique de contrôle*, c'est-à-dire qu'on essaierait d'amener l'aidé à agir dans un sens donné, en lui reprochant de penser comme il le fait. La figure 11 illustre ces deux dynamiques.

Figure 11   Dynamique exploratoire et dynamique de contrôle

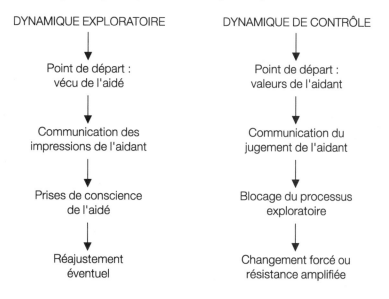

Dans la dynamique exploratoire, il y a un cycle progressif accueil-compréhension. Plus l'aidant accueille l'aidé, lui permettant de se dévoiler à son rythme, plus il a de chances de le comprendre. Et plus il le comprend, plus il lui devient facile de l'accueillir.

Dans la dynamique de contrôle, cependant, le cycle est régressif : plus l'aidant réprouve quelque chose chez l'aidé, plus celui-ci se met sur la défensive. Plus l'aidé se tient sur la défensive, moins il se dévoile, et moins l'aidant le comprend. Et moins l'aidant comprend son aidé, plus il est porté à le juger...

LA RÉACTION À LA CONFRONTATION

Une bonne confrontation est une *invitation* adressée à l'aidé, et elle lui est présentée comme une *hypothèse approximative* sur son fonctionnement. L'aidant dira, par exemple : « Tu me dis que tu es à l'aise pour recevoir de l'affection et pour en donner, et je pense que c'est souvent vrai. Mais j'ai l'impression qu'il y a des situations où c'est plus difficile pour toi. Est-ce que ça se pourrait ? »

Lorsque la confrontation se présente comme une invitation à amorcer un processus exploratoire dans lequel l'aidé sera impliqué au premier chef, la démarche risque moins de le menacer que lorsque l'aidant entreprend tout à coup de lui *dire ses quatre vérités*.

Toute confrontation risque toutefois de déclencher des résistances. Celles-ci pourront être voilées, comme lorsque l'aidé fait mine de comprendre et d'être d'accord... et qu'il change ensuite de sujet. À d'autres moments, ces résistances pourront être plus apparentes, comme lorsque l'aidé entreprend de convaincre l'aidant qu'il s'est trompé et qu'il l'a mal compris.

En règle générale, ces résistances indiquent que l'aidé n'est pas en position de profiter davantage de la confrontation, si juste soit-elle sur le fond. Mieux vaut alors se contenter d'enregistrer le fait, et de permettre à l'aidé de reprendre son exploration à un niveau plus confortable pour l'instant.

Les lecteurs désireux de poursuivre leur réflexion sur ce thème pourront lire le chapitre 10 du volume d'Egan (1976, p. 172-199).

EXEMPLES

Nous terminerons ce chapitre par deux illustrations d'interventions utilisant la confrontation.

Première illustration : *La tante confrontée*

Une nièce utilise la confrontation pour venir en aide à sa tante. Voici leur dialogue :

Tante	Depuis que ton oncle a pris sa retraite, je l'ai toujours sur les talons dans la maison. Moi qui pensais qu'on serait bien tous les deux…
Nièce	Vous avez l'air un peu déçue. (Reflet du malaise.)
Tante	Oui. Et en plus, lui me dit qu'il ne s'est jamais senti aussi bien. Moi, je ne sors presque plus.
Nièce	Vos visites à la bibliothèque et vos après-midi de tricot, vous avez laissé tomber ça ? Vous avez pris votre retraite vous aussi ? (Confrontation.)

(La tante jette un regard surpris et garde le silence.)

Nièce	Comment vous sentiriez-vous si vous le laissiez seul de temps en temps ? (Focalisation.)
Tante	Je ne me sentirais pas correcte.
Nièce	Dans quel sens ? (Focalisation.)
Tante	Coupable…
Nièce	Avez-vous essayé d'en parler avec lui ? (Recherche de solution ; on aurait pu focaliser sur la culpabilité : « Coupable de quoi ? »)
Tante	Il va falloir que je me décide. Je suis trop jeune pour prendre ma retraite et j'ai le droit de continuer à avoir des activités.

La deuxième intervention de la nièce représente un point tournant dans l'entretien. Cette confrontation semble avoir amené la tante à réaliser qu'elle s'est obligée à interrompre ses activités, probablement à partir d'un principe qu'elle trouverait discutable si elle le définissait clairement (quelque chose comme : « la place de la femme est aux côtés de son mari »).

À partir de ce point de l'entretien, l'aidée cesse de se percevoir comme une victime et commence à se donner du pouvoir sur la situation. Elle remet en question ses idées et ses agissements, ce qui est toujours l'objectif ultime de la confrontation.

Deuxième illustration :
La confrontation du monsieur âgé

Madame Z est épuisée. Âgé de quatre-vingt-huit ans, son mari requiert des soins constants, depuis son dernier séjour à l'hôpital. Madame Z demande à l'infirmière qui le visite de tenter de convaincre son mari de retourner à l'hôpital. Voici comment, en dialoguant avec ce dernier, l'infirmière utilise la confrontation pour venir en aide au couple.

Monsieur	Je ne vaux plus grand-chose. Je serais mieux mort.
Infirmière	Vous n'avez plus envie de vivre ? (Reflet.)
Monsieur	J'ai trimé dur toute ma vie, mais là, je ne suis plus capable.
Infirmière	Qu'est-ce que vous avez l'intention de faire ? (Focalisation.)
Monsieur	Je ne sais pas…
Infirmière	Aimeriez-vous mieux retourner à l'hôpital ? (Focalisation, équivalant à : « Comment vous sentez-vous face à l'idée de retourner à l'hôpital ? »)
Monsieur	Non, je suis trop bien ici, avec ma femme qui s'occupe de moi.
Infirmière	Votre femme, elle est capable de vous donner tous les soins dont vous avez besoin ? (Confrontation.)
Monsieur	Oui.
Infirmière	Avez-vous l'impression que ça la fatigue un peu ? (Confrontation.)
Monsieur	Peut-être, des fois. Elle n'est plus jeune, elle non plus.

| Infirmière | Avez-vous l'impression qu'elle va être capable de faire ça longtemps ? (Confrontation.) |

(Monsieur garde le silence.)

| Infirmière | Avez-vous le goût qu'on lui demande ce qu'elle en pense ? (Confrontation.) |

Contrairement à ce qui se passe dans l'exemple précédent, la prise de conscience visée par la confrontation n'est pas immédiate ici. Mais on sent qu'à travers ses résistances l'aidé se voit amené à se situer à son rythme face à sa réalité : il doit se résoudre à une hospitalisation ou à un hébergement.

EN CONCLUSION

Ces deux exemples illustrent le fait que, avec la confrontation, l'aidante obtient un effet qu'elle pourrait difficilement obtenir en se limitant au reflet et à la focalisation. La confrontation est donc une habileté à inclure dans son répertoire d'interventions. Et cela, d'autant plus qu'on travaille dans le cadre d'interventions brèves (Ewing, 1990, p. 283 et p. 289).

CHAPITRE 14

LE PHÉNOMÈNE
DE LA RÉSISTANCE

La personne humaine est animée de deux tendances instinctives. La première consiste à s'ouvrir au réel, à se faire réceptive aux messages que son organisme lui envoie sous forme d'émotions et de sentiments, et à terminer ce qui est commencé.

La deuxième tendance consiste à se protéger de la douleur, et donc de l'inconfort qui annonce une douleur potentielle. Cette tendance découle de l'instinct de conservation, et elle se manifeste d'abord sur le plan physique, comme le fait d'éviter un froid ou une chaleur intense, ou encore d'assouvir sa faim et sa soif.

L'instinct de conservation, ou de survie, se manifeste par l'évitement de toute source potentielle d'anxiété, c'est-à-dire de toute expérience perçue plus ou moins consciemment comme une menace à l'équilibre du moi.

LA DYNAMIQUE DE L'ANXIÉTÉ

L'être humain se trouve soumis à toutes sortes d'influences qui proviennent à la fois de son organisme (impulsions des désirs et des besoins) et de son environnement (contraintes physiques et sociales). Il porte par ailleurs des vulnérabilités inscrites dans son histoire personnelle, surtout sous forme de rejets ou de menaces de rejet précoces. Il lui faut donc filtrer et contrôler ces influences, de manière à garder l'anxiété à un niveau minimal et à maintenir un minimum de stabilité et de confort.

S'il ne peut vivre sans un minimum de défenses contre l'anxiété, le sujet a par ailleurs intérêt à détecter celles qu'il utilise, et à comprendre leur origine et leur rôle, de manière à acquérir un certain pouvoir sur elles et à les assouplir, voire à se défaire éventuellement d'un certain nombre d'entre elles.

MÉCANISMES DE DÉFENSE ET RÉSISTANCES

Dans sa vie quotidienne, l'être humain utilise des mécanismes de défense. Lorsque le sujet y a recours dans le contexte d'une relation d'aide, on parle alors de *résistances*.

La démarche de relation d'aide découle de la première tendance de l'organisme évoquée plus haut, soit la tendance à s'ouvrir au réel. Mais cette exploration risque de devenir anxiogène, car la sagesse populaire sait bien que moins on en sait sur soi-même, moins on a de chances de souffrir.

C'est pourquoi il faut s'attendre à ce que toute démarche de relation d'aide ait pour effet d'activer la deuxième tendance de l'organisme, qui est de se protéger de la douleur, et donc de l'inconfort qui l'annonce. Le terme de *résistance* désigne tous les moyens que l'aidé prendra alors pour éviter de ressentir et d'exprimer les sentiments, souvenirs ou idées qui le menacent, et donc pour éviter ou différer les prises de conscience douloureuses sur son vécu.

On peut interpréter comme une résistance tout comportement de nature à retarder ou à diminuer l'implication de l'aidé dans sa démarche d'exploration. Sur un continuum, les résistances partent de l'inattention passagère, à un extrême, pour aller jusqu'à l'abandon définitif de la relation d'aide, à l'autre extrême (Woody et collègues, 1989, p. 67).

Voici quelques exemples : *oublier* l'entrevue, se sentir bloqué et n'avoir rien à dire, intellectualiser ou parler en général, faire beaucoup d'humour, questionner l'aidant sur sa vie personnelle, raconter sa semaine en détail, avoir hâte que l'entrevue finisse, contredire toutes les interprétations avancées par l'aidant, vouloir interrompre les entrevues, se montrer sceptique quant au profit à retirer des rencontres, attendre que l'aidant prenne les choses en main, rendre les autres responsables de ses malheurs, changer d'aidant ou penser à le faire…

EXEMPLE

Voici un exemple. Une femme qui a pris beaucoup de poids et qui ne réussit pas à s'empêcher de manger d'une façon compulsive, s'exprime comme suit :

Aidée	Je n'aime pas mon physique, c'est sûr, mais je ne sais pas pourquoi je me laisse aller comme ça. Je n'étais pas comme ça avant.
Aidante	Qu'est-ce qui te porte à manger tout le temps ?
Aidée	On dirait que c'est toutes les émotions bonnes ou mauvaises.
	Je ne sais pas où tout ça va me mener.
Aidante	As-tu une idée de ce qui a pu se passer pour que tu changes comme ça ?
Aidée *(après un silence)*	Je ne sais pas trop. *(Autre silence.)* Tu sais, mon mari est un grand colérique. Toutes les fois qu'il fait une crise, il menace de me battre. Il ne le fait jamais mais ça me fait peur…

Cet extrait de dialogue contient de nombreuses résistances. L'aidée dit ne pas savoir pourquoi elle agit comme elle le fait, elle se tait à deux reprises, elle dit ne pas savoir ce qui se passe dans sa vie alors qu'elle le sait bien.

Mais en même temps qu'elle résiste, cette personne travaille fort à surmonter ses résistances. Elle admet qu'il se passe des choses dans sa vie : « Je n'étais pas comme ça avant. » Puis elle annonce ses problèmes, en parlant d'« émotions mauvaises ». Elle exprime clairement sa peur : « Je ne sais pas où tout ça va me mener. » Puis, après quelques hésitations, elle passe rapidement du problème formulé (« Je ne peux pas m'empêcher de manger ») au problème réel (« Je suis mariée à un homme violent »).

LES RÉSISTANCES ET L'AMBIVALENCE

La démarche de relation d'aide apparaît ainsi comme le lieu de l'ambivalence. Mais, comme dans l'exemple présenté plus haut, en règle générale les aidés s'efforcent de nous dire comment ils se sentent et ce qui les préoccupe.

On a vu que l'aidé a besoin d'un minimum de défenses pour maintenir sa cohésion et qu'il doit en même temps en assouplir quelques-unes et en abandonner quelques autres. Cela nous aide à comprendre combien la relation d'aide peut s'avérer un processus délicat et exigeant, à la fois pour l'aidé et pour son aidant.

Les demandes d'aide sont rarement motivées par le désir explicite d'examiner de plus près son fonctionnement personnel. Plusieurs sont provoquées par un événement extérieur qui deviendra le déclencheur de l'exploration : insatisfactions face au conjoint, congédiement, échec scolaire, conflit, etc.

Nous avons distingué plus haut entre le problème formulé en début d'entrevue et le problème réel. C'est dire que les résistances sont souvent présentes dès les toutes premières verbalisations de l'aidé. Mais lorsque le processus d'exploration s'enclenche vraiment, l'aidé a tôt fait de se voir ramené à lui-même, et c'est le moment où s'activent les résistances déjà à l'œuvre depuis le début.

RÉSISTANCES ET CROISSANCE PERSONNELLE

Différents auteurs interprètent les résistances comme un mécanisme de défense allant à l'encontre de la croissance personnelle, comme « une manifestation de la tendance de l'aidé à […] renoncer au potentiel unique et original qui est le sien » (May et collègues, 1958, p. 79 ; voir aussi Bugental, 1965, p. 43).

Sous le double éclairage de la psychanalyse et de l'existentialisme, on peut donc concevoir la résistance à la fois comme la préoccupation de ne pas avancer trop vite et de sauvegarder sa cohésion, d'une part, et comme une invitation à réassumer la décision d'avancer dans sa croissance, d'autre part. Dans ces perspectives, la résistance demande à la fois d'être respectée et surmontée.

Cette façon de voir pourra favoriser chez l'aidant une attitude d'empathie et d'acceptation à l'endroit de l'aidé qui résiste. Une définition trop sommaire de la résistance peut en effet amener l'aidant à juger son aidé ; ce peut être le cas, par exemple, si on définit la résistance comme « les moyens que nous prenons pour ne pas entrer en contact avec ce qui nous dérange ». L'aidant aura plus de chances d'être patient et accueillant s'il définit plutôt la résistance comme « le temps dont nous avons besoin pour nous préparer à faire face à ce qui nous dérange ».

LES CAUSES DE LA RÉSISTANCE

Ayant examiné la dynamique de la résistance et ses enjeux, nous allons maintenant jeter un coup d'œil sur ses diverses causes, avant d'examiner les façons dont on peut y faire face.

L'atteinte à l'image de soi

La résistance surgit lorsque le sujet devient anxieux. S'il en est ainsi, c'est souvent parce que les événements extérieurs ou ses propres émotions viennent le menacer dans son image de soi ou son concept de soi.

Le concept de soi est constitué par l'ensemble des représentations que le sujet se fait de lui-même : il a tel physique, se reconnaît telles ressources et telles qualités, s'identifie à telles relations et à telles possessions, s'attribue tels goûts, et, finalement, évolue dans telle position et dans tels rôles.

Ainsi structuré, le concept de soi devient le point de repère central qui permettra au sujet de se situer dans le monde, de faire face au flot continuel d'émotions et d'expériences, et de survivre en prenant au mieux les mille décisions quotidiennes qu'il lui faut prendre.

Toute émotion ou toute expérience qui contredit le concept de soi vient donc ébranler les fondements mêmes de la stabilité et de la sécurité du sujet. Par exemple, celui-ci se perçoit depuis vingt ans comme un époux fidèle, et voilà qu'il éprouve de l'attrait pour une autre femme. Ou il se perçoit comme un croyant sincère, et voilà qu'il se surprend à douter de certaines croyances de sa religion.

Dans ce contexte, la résistance pourra prendre les formes que l'on a énumérées plus haut, de même que celle de la négation pure et simple : « Je ne suis pas vraiment attiré par cette femme », ou celle de la reformulation : « Je ne suis pas vraiment en train de changer dans ma foi »...

L'atteinte à l'estime de soi

Le concept de soi est plutôt d'ordre *cognitif* : il représente ce que le sujet s'imagine être. L'estime de soi est plutôt d'ordre *affectif* : le sujet se sent plus ou moins bien par rapport à ce qu'il s'imagine être. Une personne dont l'estime de soi est élevée se sent bien dans sa peau, confiante dans ses ressources et portée à se valoriser. À l'inverse, une personne dont l'estime de soi est faible se sent plutôt dépressive, peu encline à se faire confiance et portée à se dévaloriser.

Or, le simple fait de se retrouver devant quelqu'un d'autre pour lui demander de l'aide peut constituer un aveu d'impuissance et un constat d'échec. Alors que la société valorise l'indépendance, la personne qui demande de l'aide se sent incapable de s'en tirer toute seule.

Ce phénomène est de nature à rendre le sujet ambivalent et à le mettre sur la défensive, comme si une partie de lui-même voulait maintenir le sentiment de sa compétence, par exemple en reportant le blâme sur les autres ou en niant ses problèmes, alors que l'autre partie tente justement de reconnaître ces problèmes et de déterminer sa part de responsabilité à leur égard.

La fuite devant les appels intérieurs

On entend souvent des gens dire : « Je sais ce que je devrais faire, mais ça ne me tente pas. » Par exemple, une personne dit : « Ma vie aurait bien plus de sens si je travaillais seulement à mi-temps, mais j'aime trop mon confort pour me décider. »

Quand vient le temps de donner un coup de barre, les résistances surgissent, par peur de devoir changer, ou simplement par peur de l'inconnu. Cette *évasion hors de soi-même* et du chemin qui est le sien à cause des complications redoutées correspond à cette résistance existentielle que nous avons évoquée plus haut.

La réaction à une prise de conscience

Rogers (1970, p. 206) fait remarquer que, « après que le client est parvenu à une nouvelle perception particulièrement vitale, on doit s'attendre à une rechute momentanée ». Intimidé par sa prise de conscience, l'aidé a le réflexe d'en limiter la portée, comme s'il voulait se prémunir contre les implications de cette admission.

Ainsi, une aidée exprime ses insatisfactions à l'endroit de son conjoint, et son aidante note : « Elle a semblé se défouler en parlant ; sa voix est devenue plus forte, laissant transparaître beaucoup de colère. » Mais intimidée par cette colère, qui était peut-être réprimée depuis des années et qui vient menacer l'équilibre de son couple, l'aidée entreprend de nier ce qu'elle vient d'admettre. Elle termine l'entrevue en disant qu'« au fond elle n'est pas si malheureuse que ça, que tout est dans sa tête, et qu'elle amplifie son problème ».

Cette résurgence des résistances n'est habituellement que momentanée, et, lorsqu'il a repris son souffle, l'aidé continue à progresser dans l'appropriation de son problème.

Le désir d'autonomie   partir de chez parents

La résistance à l'implication s'explique parfois simplement par le fait que l'aidé estime avoir effectué le cheminement qu'il avait à faire, et qu'il a cessé de percevoir la relation d'aide comme stimulante pour lui.

Cette forme de résistance est saine, puisqu'elle exprime le désir de l'aidé de terminer une relation qui s'approche de fait de son terme, et de voler maintenant de ses propres ailes.

La résistance à une erreur de l'aidant

Plusieurs résistances sont enfin attribuables à des erreurs de l'aidant. Celui-ci peut intervenir hors de propos et interrompre un silence productif, il peut blâmer plus ou moins subtilement son aidé, ou encore lui suggérer une interprétation erronée ou prématurée, etc. Ces erreurs se traduiront souvent par une baisse de l'implication de l'aidé.

Ces situations sont si fréquentes que Beaudry et Boisvert (1988, p. 187) ne craignent pas d'écrire : « Si un thérapeute réalise que ses interventions sont peu efficaces, il doit d'abord faire sa propre autocritique. »

Il est vrai qu'il ne faut pas rejeter trop vite sur l'aidé la responsabilité de ses résistances. Il serait toutefois excessif d'imputer à l'inverse à l'aidant la responsabilité de toutes les résistances de l'aidé, comme Rogers (1970, p. 155) semble le faire dans le passage suivant : « La résistance à la thérapie et au thérapeute n'est pas une phase inévitable de la psychothérapie, mais elle naît […] des efforts maladroits du thérapeute pour accélérer le processus thérapeutique. »

L'aidant peut se tromper. Mais même si l'aidant était infaillible, la relation d'aide demeurerait pour l'aidé une aventure pénible, au moins par moments, et rares sont ceux qui assument toutes leurs souffrances sans jamais hésiter. Dans la ligne de ce que nous avons appelé plus haut *la fuite devant les appels intérieurs*, Fisher (1990, p. 6) dit dans ce sens qu'« au fond l'aidé résiste non pas au thérapeute ou à la thérapie, mais à la peur de se découvrir lui-même ».

LES RÉACTIONS DE L'AIDANT

Le fait de se trouver en présence d'un aidé qui résiste représente un test pour l'aidant, sur le triple plan de l'empathie, de la considération positive et de l'authenticité.

Sur le plan de l'*empathie*, d'abord : moins il est capable de voir et de sentir les choses du point de vue de son aidé, plus l'aidant sera porté à devenir évaluatif lorsque celui-ci vivra de la résistance : « Il ne veut pas changer », « Il a peur de tout », « Il perd son temps et me fait perdre le mien »…

Inversement, un aidant plus empathique sera en mesure de comprendre que, dans la situation où son aidé se trouve, et compte tenu de ce qu'il a vécu jusqu'ici, il est normal que celui-ci se sente menacé par ce qui est en train de se passer.

Sur le plan de la *considération positive*, ensuite : un aidant accueillant admettra que les gens ont le droit d'être comme ils sont, de se protéger comme ils le font, qu'on change rarement d'un seul coup et que la perspective de changer nous trouve toujours plus ou moins ambivalents.

Sur le plan de l'*authenticité*, enfin : il n'est pas facile pour un aidant de s'avouer à lui-même qu'il est évaluatif, impatient ou agressif envers un aidé qui résiste. Un premier test consiste dans cette admission : « Bon, voilà que mon aidé décide de ralentir la marche, alors que moi j'aurais le goût qu'on continue d'aller de l'avant ; voilà que mon aidé continue d'intellectualiser alors que j'aurais le goût qu'il prenne contact avec ses sentiments non reconnus »...

Un deuxième test sur le plan de l'authenticité consiste pour l'aidant à décider s'il va exprimer sa déception ou son impatience à son aidé : « Je suis un peu déçu de ce qui se passe présentement. Je pensais que tu reviendrais sur la prise de conscience que tu as faite la semaine dernière, et qu'on regarderait ce que ça peut changer pour toi. Mais en même temps je me dis que si j'étais à ta place, j'agirais probablement comme toi... »

Rappelons toutefois que l'objectif de l'aidant n'est pas d'exprimer tout ce qu'il ressent à l'endroit de son aidé, mais de discerner entre ce qu'il peut être utile à celui-ci d'entendre, et ce qu'il est préférable de garder pour lui-même.

LES FAÇONS DE FAIRE FACE À LA RÉSISTANCE

Nous examinerons maintenant les types d'intervention auxquels l'aidant peut avoir recours lorsqu'il s'aperçoit que son aidé résiste.

Noter mais ne pas intervenir

L'expression d'une résistance fait partie de l'ensemble de ce que l'aidé dévoile par ses comportements verbaux et non verbaux. Or, le rôle de l'aidant n'est pas de contrôler tout ce qui se passe dans l'entrevue, mais simplement d'intervenir *de temps à autre* pour stimuler l'exploration de son aidé.

Face à un aidé qui résiste, l'aidant peut se limiter à enregistrer simplement le fait que celui-ci est en train de maîtriser son anxiété.

Il peut également en profiter pour tenter de mieux comprendre le style personnel par lequel cet aidé a appris à se défendre, quitte à revenir plus tard sur ce fonctionnement, si cela s'avère utile.

Offrir des soutiens légers

L'aidé n'a parfois besoin que d'une brève intervention pour surmonter sa résistance et revenir à un niveau d'implication productif. Ces interventions pourront prendre la forme de reflets chaleureux : « Ce n'est pas facile de parler de ça, hein ! », ou : « Je sens que tu n'as pas trop le goût de parler de ça, mais en même temps, je sens que c'est important pour toi d'en parler »...

Accepter ou amener des diversions temporaires

Un aidant efficace *serre habituellement de près* son aidé, par des reflets précis et pénétrants et par des focalisations bien ciblées. Ces interventions ont pour effet de maintenir une légère pression sur l'aidé, de manière à garder celui-ci actif et productif dans son exploration.

Lorsque l'aidant sent que les résistances sont plus profondes, il doit toutefois éviter de se centrer sur celles-ci. Il pourra alors retirer la pression, par exemple en acceptant que l'aidé change de sujet ou de niveau d'implication, ou en réorientant lui-même l'exploration vers un contenu moins menaçant. Ainsi, au lieu d'exprimer par sa physionomie et sa posture qu'il est très attentif parce qu'il croit qu'il se passe des choses significatives, l'aidant pourra plutôt communiquer à l'aidé qu'il sent que celui-ci a fait ce qu'il a pu pour avancer sur cette question, et qu'il pourra y revenir à un autre moment.

Interpréter ou confronter

Lorsqu'il sent son aidé suffisamment d'aplomb et prêt à effectuer une prise de conscience, l'aidant pourra tenter une interprétation ou même une confrontation. Les chapitres qui sont consacrés à ces techniques donnent une idée des enjeux de ces interventions.

Rappelons seulement que cela peut se faire simplement : « Je sens que tu as le goût de te taire, mais, tu sais, plus tu t'exprimes, plus on va être capable d'avancer ensemble », ou encore : « On parle beaucoup, mais je ne suis pas sûr qu'on avance vraiment... »

Prévenir la résistance

Pour éviter de susciter des résistances inutiles, il est souvent bon d'utiliser d'abord la version atténuée d'un sentiment potentiellement menaçant, plutôt que de nommer directement celui-ci. Par exemple, plutôt que de dire : « Ça te fait peur », dire : « Il y a quelque chose qui te rend mal à l'aise là-dedans. » Ou encore, plutôt que de dire : « Ça te met en colère quand elle dit ça », dire : « Il y a quelque chose que tu n'aimes pas quand elle parle comme ça. »

Ces *adoucissements* ne seront que temporaires, puisqu'il s'agit, bien sûr, d'aider le sujet à entrer réellement en contact avec sa peur ou sa colère, plutôt que de les maquiller par des termes atténués. Mais cette approche, suivie de reflets progressivement plus précis, et au besoin accompagnée de légers soutiens, permet à l'aidé de s'apprivoiser un peu à son vécu, et donc de surmonter par le fait même ses résistances spontanées.

Exemple

Voyons un exemple. À la suite d'une attaque par un bénéficiaire agité, un préposé a obtenu de travailler avec un collègue. Mais il apprend que le poste de ce dernier vient d'être aboli et qu'il se retrouvera de nouveau seul le soir dans son département. Voici leur dialogue :

Aidante   Ça semble t'inquiéter de devoir recommencer à travailler seul ?

Aidé   Non, non, ce n'est pas ça...

(Plus loin dans l'entrevue.)

Aidante   Ça ne doit pas être facile de te retrouver dans cette situation...

Ici, l'aidante évoque de nouveau la peur, mais délicatement, en même temps qu'elle donne habilement un léger soutien. Cette fois-ci, on évite l'apparition de la résistance, et l'aidé commence à verbaliser ses craintes.

Forcer délicatement la résistance

Nous venons de voir un peu plus haut qu'il y a parfois lieu de mettre une légère pression sur l'aidé pour que celui-ci surmonte sa résistance.

Exemple

Le cas suivant, vécu par une aidante en formation, illustre bien ce principe. Voici un extrait du rapport de l'aidante :

« Joël, un ami de mon fils, me demande s'il peut jouer avec lui. Je lui dis que mon fils est parti faire une course avec son père, et je l'invite à l'attendre à la maison. Une conversation s'établit :

Aidé	Qu'est-ce que tu fais ?
Aidante	Je suis en train d'envelopper le cadeau de Martin, mais ne lui dis pas, c'est un secret. Il ne faut pas qu'il sache ce que c'est avant de le développer.

(L'aidé garde le silence ; il a l'air triste.)

Aidante	Tu me sembles triste, Joël, il y a quelque chose qui ne va pas ?
Aidé	Non, ça va. Tu n'es pas la seule à avoir un secret.
	Moi aussi, j'en ai un.
Aidante	Ah oui ! Maintenant que je t'ai dit mon secret, tu peux me dire le tien, toi aussi.
Aidé *(d'un air triste et troublé)*	Je ne peux pas.
Aidante	Qui a dit que tu ne peux pas ?
Aidé	C'est une grande personne.
Aidante	Pourquoi tu ne veux pas en parler ?
Aidé	La grande personne m'a dit de ne pas en parler, que, sinon, j'aurais des gros problèmes.

Aidante	Tu peux m'en parler, je suis ton amie.
Aidé *(après un long silence)*	La grande personne m'a fait des choses, des caresses, pis... d'autres affaires...
Aidante	Pas des caresses comme ton père ou ta mère te font ?
Aidé *(en rougissant)*	Non, non, ce n'est pas pareil. C'est... c'est pas la même chose. Jacques, le garçon qui vient me garder, a mis sa main dans ma culotte et il n'arrêtait pas de me toucher. Je ne savais pas quoi faire. Il n'arrêtait pas de me dire que je ne devais pas en parler à personne, que c'était un secret.
Aidante	Je pense que Jacques t'a fait beaucoup de peine et qu'il n'a pas le droit de te faire des choses comme ça.
Aidé *(en pleurant)*	Mais c'est un secret. Les secrets, c'est fait pour être gardé, et tu m'as dit tantôt qu'il ne faut pas en parler.
Aidante *(en prenant l'aidé dans ses bras)*	Oui, mais il faut parler aux grandes personnes des secrets qui nous rendent malheureux.

L'aidante ajoute le commentaire suivant : « Je suis contente de ma relation d'aide. Grâce au cours, j'ai pu aider adéquatement Joël. Il a beaucoup pleuré et il s'est senti très soulagé après cet échange. Avec sa permission, je suis allée avec lui rencontrer sa mère, qui a déposé une plainte contre le gardien. »

LA QUESTION DES SILENCES

Les silences fréquents et prolongés sont d'habitude un signe de résistance. L'aidé a peur de nommer ce qui l'habite et il se protège en ne disant rien, ou même en s'empêchant inconsciemment de penser à quoi que ce soit. Il peut alors être sincère lorsqu'il affirme n'avoir « rien à dire ».

Mais les silences peuvent être bien d'autres choses que des résistances. Dans ce que l'on pourrait appeler les *silences d'inté-gration*, l'aidé se fait présent à ce qu'il vient d'exprimer, ou aux échanges qui viennent de survenir entre son aidant et lui. Il réfléchit à tout cela, tentant de voir ce que cela lui fait et ce que cela lui dit.

Dans les *silences d'exploration*, l'aidé a fini de se faire présent à ce qui a été abordé. Il estime avoir suffisamment réfléchi, pour l'instant, à ce matériel, et il s'est mis à l'écoute de lui-même pour tenter de distinguer la piste sur laquelle il aurait le plus de profit à s'engager maintenant.

L'aidé peut aussi vivre un *silence de préparation*. Il a détecté un aspect de son vécu ou de sa réflexion sur lequel il sent qu'il aurait profit à se centrer. Mais les choses sont complexes et lui font un peu peur, et il est en train de s'approcher de ce matériel à son rythme.

Enfin, par le *silence de transition*, l'aidé tente d'exprimer à son aidant qu'il estime avoir fait sa part, et qu'il s'attend maintenant à ce que celui-ci s'exprime à son tour, soit pour refléter, focaliser, résumer, soumettre une interprétation…

Face à tout silence, l'aidant a donc un travail de discernement à effectuer. S'agit-il d'une résistance, et, si oui, quelle en est la cause ? S'agit-il d'un silence productif ou d'un silence qui a cessé de l'être ? S'agit-il d'un silence qui véhicule une demande, et, si oui, comment a-t-il le goût d'y répondre ?

Les réponses ne sont pas toujours évidentes, et, pour y voir plus clair, l'aidant peut simplement inviter son aidé à préciser ce qui est en train de se passer.

EN CONCLUSION

Voilà qui conclut notre exploration du phénomène de la résistance. Le fait de réussir à affronter cette dernière n'est pas une simple difficulté de parcours, mais constitue souvent l'enjeu majeur de la relation d'aide.

Une victoire digne de ce nom ne se remporte souvent qu'au prix de replis stratégiques et de blocages provisoires. Le fait de pouvoir faciliter ce cheminement de libération et de croissance représente un privilège pour l'aidant. À nous de nous préparer à accueillir ce privilège en nous employant à devenir le plus adéquats possible dans notre rôle.

CHAPITRE 15

L'INTERVENTION
EN SITUATION DE CRISE

Une thérapie classique dure habituellement entre dix et dix-huit mois (Rogers et Sanford, 1985, p. 1381), ce qui est déjà court par rapport à la cure psychanalytique, qui peut s'étendre sur plusieurs années. La *thérapie brève* comporte pour sa part une dizaine d'entrevues (Steenbarger, 1992, p. 413). À l'autre extrême, certains thérapeutes estiment que, en situation de crise, une seule rencontre peut parfois suffire (Rosenbaum et collègues, 1990).

Les exemples d'interventions réussies en situation de crise semblent aussi vieux que la psychologie elle-même. On rapporte que Freud aurait aidé le compositeur Gustav Mahler à se libérer d'un problème sexuel au cours d'une longue promenade avec lui (voir Bloom, 1981).

Il faut toutefois clarifier ce qu'on entend par *intervention en situation de crise*. Cette expression risque en effet de recouvrir à la limite tout effort pour aider quelqu'un à traverser une situation difficile, de la part de n'importe quel type d'intervenant : policier, enseignant, infirmière, agent de pastorale…

Il y a une trentaine d'années, le pionnier de ce secteur décrivait la crise comme un déséquilibre entre la perception de la situation par le sujet et sa perception des ressources disponibles pour y faire face (Caplan, 1964, p. 39). Pensons à une agression sexuelle, à un décès, à l'annonce par le conjoint de sa décision de divorcer, à une perte d'emploi…

Cette définition demeure très large, car, à la limite, toute personne qui demande de l'aide se sent dépassée par la situation, sans quoi elle continuerait à s'employer à y faire face par ses seules ressources.

Il faut donc restreindre la perspective et dire que l'intervention en situation de crise qui nous intéresse ici est celle qui vise à aller au-delà du soutien passager que tout intervenant est en mesure d'assurer, quelle que soit sa formation de base.

Dans la logique de notre modèle en trois étapes, nous définirons alors l'intervention de crise comme l'utilisation des habiletés de la relation d'aide pour faciliter rapidement chez l'aidé l'expression, la compréhension et la prise en charge de son vécu problématique.

Cela se rapproche des objectifs de la thérapie brève tels qu'ils ont été formulés par Bauer et Kobos (1987, p. 191), à savoir : d'abord, amener l'aidé à s'impliquer sur le plan des sentiments ; et ensuite, l'aider à discerner et à comprendre ceux-ci, pour pouvoir les intégrer.

En stricte rigueur de termes, on peut distinguer entre thérapie brève et intervention de crise. Quelqu'un peut s'engager dans une thérapie brève sans qu'il soit à proprement parler en situation de crise. Il peut, par exemple, vouloir explorer certaines insatisfactions chroniques comme le fait de toujours se sentir dévalorisé.

En pratique, toutefois, les gens demandent de l'aide parce qu'un événement déclencheur les a mis en déséquilibre, et nous voilà en situation de crise. Au surplus, pour aller au-delà du soutien passager, il faut utiliser les habiletés spécifiques de la relation d'aide. C'est pourquoi nous estimons que l'intervention en situation de crise s'apparente beaucoup à la démarche qui est normalement suivie dans une thérapie brève.

Les spécialistes s'entendent généralement sur les principes suivants (voir Ewing, 1990, p. 280-284) concernant l'intervention en situation de crise :

1. Elle est facilement accessible et elle est brève.

2. Elle ne se limite pas à certains problèmes précis (par exemple, la violence conjugale ou les tentatives de suicide), mais s'adresse à l'ensemble des problèmes humains.

3. Elle vise à la fois la résolution du problème présent et l'amélioration de la façon dont le sujet compose avec les demandes de son environnement.

4. Elle requiert, de la part de l'aidant, de la confrontation autant que de l'empathie et du soutien : l'aidant doit aider le sujet à se situer clairement dans sa réalité, sans la nier ou l'éviter.

5. Elle peut déboucher sur une démarche plus longue (ce qui peut entraîner la référence à une autre ressource).

EXEMPLE : *L'HOMME QUI SE VOYAIT COMME UN IMPOSTEUR*

Voici une illustration d'une intervention en situation de crise, telle qu'elle a été menée par un aidant en formation qui devait réaliser une entrevue avec une personne âgée de son choix. L'aidant est tombé sur un homme qui se voyait comme un imposteur. Voici un extrait de son rapport :

« Dans un centre d'accueil où je suis aumônier, il y a un homme de quatre-vingt-trois ans qui s'est isolé dans sa chambre. Son regard est triste et il semble porter un secret. Devant effectuer un travail, j'ose lui demander une entrevue, et le dialogue s'engage :

— C'est la Providence qui vous envoie ! Il y a si longtemps que je veux parler à un prêtre, mais le courage me manquait.

— Je ne suis pas venu vous confesser... j'aimerais que vous me racontiez une expérience heureuse ou pénible de votre vie.

— C'est ça. Je vais me libérer d'un secret très lourd que je porte depuis soixante ans. Ça me demande du courage pour dévoiler une vie tissée de tricheries. Mais en vieillissant, en me rapprochant de la rencontre avec Dieu, je suis écrasé par ce fardeau.

(L'aidé raconte alors comment, sous la pression de sa famille qui tenait absolument à ce qu'il réussisse ses études, il a triché aux examens et falsifié son diplôme, et comment ce sentiment d'être un imposteur l'a hanté toute sa vie.)

Monsieur l'aumônier, ça fait du bien de vous livrer ce secret qui était dans mon cœur comme une écharde. Merci de m'avoir donné du temps pour parler. Me promettez-vous de revenir me voir ?

« Durant l'entrevue, l'aidé a souvent pleuré. À d'autres moments, il bégayait, soupirait, ou gardait de longs moments de silence, et, à la fin, il tremblait. Je le regardais dans les yeux, et parfois je touchais ses mains moites. Il me disait : "Ça fait mal, j'étouffe, mais je vais continuer pour cracher ma boule..." Tel qu'entendu, je suis retourné le voir. La deuxième entrevue a duré une heure et demie et s'est déroulée dans un climat simple et chaleureux. Je l'ai revu et j'ai constaté qu'il s'acceptait mieux et qu'il s'est réengagé dans certaines activités du Centre. »

Même si ses symptômes n'étaient pas dramatiques, cet homme était en crise. Plus il se percevait proche de sa mort, plus il se sentait « écrasé par son fardeau » et proche du désespoir. L'accompagnement dont il a bénéficié présente par ailleurs les principales caractéristiques de l'intervention en situation de crise telles que nous les avons présentées plus haut :

1. L'intervention a été facilement accessible, ayant immédiatement suivi l'expression du besoin par l'aidé. Elle a été brève, aussi, se limitant à deux rencontres d'environ une heure et demie chacune.

2. L'intervention ne portait pas sur un sujet que l'on associe spontanément à une crise, mais sur un problème humain *ordinaire* (le sentiment d'avoir triché toute sa vie).

3. La première entrevue s'est limitée à accueillir l'aveu et à faciliter l'expression des sentiments associés (tension, honte, culpabilité, chagrin, désespoir...). Nous n'avons pas le contenu de la deuxième entrevue. Nous pouvons présumer que l'aidant s'est employé à consolider chez son aidé la reconquête de son estime de soi (« J'ai triché, mais, dans le contexte, j'ai fait ce que j'ai pu avec ce que j'étais... »).

4. Nous n'avons pas le mot à mot des entrevues. Il semble que, dans ce cas-ci, l'aidant n'a pas eu à confronter son aidé, car ce dernier était tout à fait prêt à aller au cœur de son problème. On a vu à la fin du chapitre 13 un exemple où l'aidante, dans

un autre contexte d'intervention de crise, a su utiliser adéquatement la confrontation. Dans le cas présent, l'intervention a eu un impact positif, à la fois sur l'image de soi de l'aidé et sur son comportement.

5. L'accompagnement n'a pas eu à déboucher sur une étape plus longue. Le cas échéant, on peut penser que l'aumônier aurait été disponible pour poursuivre son accompagnement.

L'AIDANT ET L'INTERVENTION BRÈVE

Dans l'intervention de crise, comme dans beaucoup de choses, il faut d'ailleurs se méfier de la croyance populaire selon laquelle « plus, c'est nécessairement mieux ». De fait, de nombreuses recherches tendent à montrer qu'il y a peu de différences entre les changements découlant d'une thérapie longue et ceux découlant d'une thérapie brève (Koss et Butcher, 1986 ; Steenbarger, 1992, p. 414 ; Crits-Christoph, 1992, p. 151), voire de « thérapies à une seule session » (Rosenbaum et collègues, 1990, p. 166).

La question est complexe, mais l'exemple présenté ci-dessus pourrait être une pièce dossier de l'intervention brève. Beaucoup d'exemples fournis dans cet ouvrage vont d'ailleurs dans le même sens, notamment celui que nous avons intitulé *Le secret de la bague*, et que nous avons présenté à la fin du premier chapitre.

L'intervention brève se prête particulièrement bien aux conditions dans lesquelles plusieurs catégories d'intervenants doivent travailler, comme c'est notamment le cas des infirmières, des enseignants, des animateurs de pastorale, des travailleurs sociaux, des médecins, des avocats, des pharmaciens...

Ces personnes ont en effet peu de temps à consacrer à ce type d'intervention. Elles doivent donc établir rapidement un climat de confiance avec leur aidé, et mettre sans délai en œuvre leurs différentes habiletés (Ryden et collègues, 1991, p. 188).

Les recherches montrent que le sentiment de confiance mutuelle établi entre l'aidant et l'aidé (le sentiment de travailler ensemble dans la même direction) peut exister aussi bien dans la thérapie brève que dans la thérapie classique. Au surplus, l'intensité de ce sentiment serait proportionnelle à l'impact des entretiens sur le fonctionnement ultérieur de l'aidé (Gelso et Fretz, 1991, p. 129).

Il est donc important que les aidants éprouvent et expriment du respect pour leur aidé, de même qu'une bonne capacité d'écoute, s'ils veulent que celui-ci s'implique et profite de l'intervention brève.

QUELQUES CONSEILS PRATIQUES

Voici quelques conseils pratiques à l'intention des aidants qui interviennent en situation de crise (inspirés de Bloom, 1981, de Slaikeu, 1990, et de Rosenbaum et collègues, 1990) :

1. Si le sujet vous semble suicidaire, psychotique ou susceptible de comportements violents, demandez pour lui une aide spécialisée.

2. Définissez son problème d'une façon précise et concise (c'est notre diagnostic) : demandez-vous où il est bloqué et comment il pourrait se débloquer.

3. Ne vous fixez pas des objectifs ambitieux, et faites confiance aux ressources que l'aidé pourra déployer à moyen terme.

4. Encouragez chez le sujet l'expression des sentiments, et utilisez des interprétations pour lui faire comprendre le problème (ce sont nos deux premières étapes de la relation d'aide).

5. Limitez au minimum les questions factuelles (nos *questions fermées*) et ne vous préoccupez pas trop de l'événement déclencheur (nous dirions : le *problème formulé* par opposition au *problème réel*).

6. Soyez actif et, s'il y a lieu (mais seulement s'il y a lieu), indiquez clairement à l'aidé les choses à faire ou à éviter à court terme (ce que nous avons appelé le contrôle).

7. Cependant, ne précipitez pas les choses et ne tentez pas de régler rapidement le problème. Respectez le rythme de l'aidé et attendez le bon moment pour soumettre votre expertise.

8. Rappelez-vous que les gros problèmes n'ont pas toujours besoin de grandes solutions. Des changements mineurs de perception ou de comportement peuvent avoir un effet important à moyen terme. (C'est l'« effet boule de neige » dont parlent O'Hanlon et Weiner-Davis, 1989.)

9. Tentez de convenir avec l'aidé d'un moment pour vous revoir, si les circonstances le permettent. Considérez cependant chaque entretien comme étant complet en lui-même. De fait, ce sera peut-être le seul !

Il est heureux que des thérapeutes contemporains fassent progresser à la fois la pratique, la théorie et la recherche en ce qui concerne ce type d'intervention. La majorité des personnes qui ont utilisé l'édition précédente de cet ouvrage interviennent en effet, la plupart du temps, sur le terrain et non dans un cabinet de thérapie, et elles sont rarement en mesure de faire un long suivi avec leurs aidés.

Ces interventions sont souvent adéquates et suffisantes. Il y a toutefois des aidés qui ont besoin d'un accompagnement plus formel, ce qui soulève la question de la référence.

Devant un nouvel aidé qui nous expose son problème, nous devons en effet nous poser la question suivante : « Suis-je le mieux placé pour répondre à ses besoins, ou y a-t-il dans mon milieu une ressource plus qualifiée qui serait disponible ? »

À cet égard, il importe que tout aidant soit informé de l'existence de ces ressources, de même que des coûts éventuels, et qu'il ait à portée de la main les coordonnées de ces intervenants.

Lorsqu'on arrive à la conclusion que les besoins de l'aidé dépassent nos compétences ou notre disponibilité, il y a lieu de le lui dire simplement, mais sans précipitation. Il faut éviter de créer l'impression que l'on veut se débarrasser de lui, ou encore, ce qui serait pis, que son cas est tellement grave qu'on ne peut rien pour lui.

On peut dire simplement quelque chose comme : « Il y a des thérapeutes dont le métier est d'aider les gens qui sont dans ta situation. Tu avancerais plus vite si tu faisais une démarche avec l'un d'entre eux. Peut-être que tu en connais toi-même. Sinon, je peux t'en recommander quelques-uns. Est-ce que ça t'intéresse ? »

Lorsque l'aidé se dit consentant, il est préférable de le laisser prendre contact lui-même avec la ressource choisie, de manière qu'il se sente impliqué dès le début de la démarche.

UN RAPPEL AVANT DE PASSER À L'ACTION

Le temps est venu de rappeler à grands traits l'essentiel de ce que nous avons vu au fil des chapitres qui précèdent, en prévision de nos prochains entretiens *sur le terrain*. Nous le ferons sous forme de conseils, applicables autant à l'entretien situationnel et imprévu, d'une durée de quelques minutes seulement, qu'à l'entrevue planifiée, qui durera une heure.

Les conseils ci-dessous visent à faciliter la tâche de l'aidant :

1. Utilisez votre capacité d'empathie pour répondre à la question suivante : « Qu'est-ce qui se passe actuellement chez la personne que j'ai devant moi ? »

2. Au fil de ses confidences, essayez de formuler mentalement le problème principal de l'aidé, derrière l'intensité de ses émotions ou au-delà de sa résistance à se dire.

3. Utilisez le modèle des trois étapes pour déceler le besoin dominant de votre aidé : a-t-il surtout besoin de se dire ? de se comprendre ? d'élaborer des scénarios de changement ?

4. N'intervenez pas trop souvent ni trop longuement. Respectez son rythme, mais utilisez le reflet et la focalisation pour maintenir une pression confortable sur son exploration.

5. Au besoin, utilisez délicatement une interprétation, une confrontation ou une brève référence à votre vécu pour activer le processus exploratoire.

6. Demeurez à l'affût des réactions de l'aidé, qui vous renseigneront sur la pertinence de vos interventions et vous diront si vous devez maintenir ou relâcher la pression.

7. Une fois l'entretien terminé, effectuez mentalement un bref retour sur vos interventions pour en évaluer la pertinence et voir comment vous pourrez améliorer votre performance à la prochaine occasion.

8. Une excellente façon de progresser est de discuter de vos interventions avec un collègue, ne serait-ce qu'informellement, à la pause ou à l'heure du dîner. Si vous avez cette chance, ne la ratez pas.

CHAPITRE **16**

LA FORMATION
À LA RELATION D'AIDE

C
e chapitre s'adresse aux formateurs, et il présente deux activités pédagogiques que j'utilise avec profit depuis de nombreuses années. D'abord, une grille de préparation à la supervision qui peut être utilisée dans un groupe-cours allant d'une demi-douzaine à une quarantaine d'étudiants. Ensuite, une démarche d'apprentissage qui, à mon avis, remplace avantageusement les fameux *jeux de rôle*.

UNE GRILLE DE SUPERVISION

Une fois qu'ils ont parcouru les huit premiers chapitres de l'ouvrage, les aidants en formation sont munis d'un éclairage qui leur permet de saisir la dynamique de base de la relation d'aide, et ils sont prêts à continuer d'apprendre par essais et erreurs. Pour cela, il leur faut aller sur le terrain.

La consigne est alors la suivante : demander à un proche de partager pendant une vingtaine de minutes sur un sujet qui le préoccupe, en lui disant que cette brève entrevue sera utilisée dans le cadre d'une démarche de formation. Ceux qui en ont la chance peuvent aussi utiliser une relation d'aide menée spontanément dans le cadre de leur travail, pourvu qu'ils s'assurent de la confidentialité, par exemple en changeant le nom de l'aidé.

Une fois l'entrevue réalisée, l'aidant doit préparer la supervision à l'aide de la grille suivante, qui tient sur une feuille de 21,5 cm sur 28 cm.

GRILLE POUR LES RAPPORTS D'ENTREVUE

Nom : _____

N° du rapport : _____

Date : _____

Situation de départ (Qui me parle ? Où ? De quoi ? Pendant combien de temps ? Qui a demandé l'entrevue ?)

Diagnostic sur le problème de l'aidé ou de l'aidée (pas plus de deux lignes)

Mes réactions et mes interventions (désigner quelques reflets, focalisations et autres interventions, s'il y a lieu)

Mes commentaires sur mes réactions et mes interventions (Quelle est l'intervention dont je suis le plus satisfait et pourquoi ? Quelle est celle dont je suis le moins satisfait et pourquoi ?)

Au besoin (au verso) :

Les questions que je me pose sur mes interventions

Exemple

Voici un exemple de grille remplie par une aidante en formation.

Situation de départ

« Je reviens d'une sortie. Ma fille de dix-huit ans se précipite dans mes bras. Elle est en larmes et me dit : « Maman, je dois te parler. »

Diagnostic (problème formulé)

« Ma fille se demande : « Est-ce que je dois garder l'enfant ou me faire avorter ? »

LA FORMATION À LA RELATION D'AIDE

Mes réactions et mes interventions

Moi	Que se passe-t-il, ma grande ? (Soutien.)
Suzanne *(en pleurant)*	Maman, tu ne seras pas fière de moi. Je suis enceinte de deux mois et je ne sais plus ce que je dois faire. Est-ce que je dois garder l'enfant ou me faire avorter ?
Moi	Ma grande, quand je dis *avortement*, qu'est-ce que ça te dit ? (Focalisation.)
Suzanne	Ça veut dire une amputation. C'est comme si on m'enlevait une partie de moi-même. C'est « pire » que si on me coupait un bras ou une jambe. *(Il y a un silence.)*
Moi	Et si je dis *bébé*, qu'est-ce que ça te dit ? (Confrontation.)
Suzanne *(après un silence)*	J'ai l'impression que je vais perdre ma liberté, que ça va vous occasionner beaucoup de problèmes, à toi et à papa. Mon corps va se déformer. Je me sens bien jeune pour assumer cette responsabilité…
Moi	Tu m'as l'air ambivalente dans ta décision. (Reflet.)
Suzanne	Oui et non. Je ne me sens pas capable de vivre l'avortement, parce que, pour moi, c'est un meurtre. Mais si vous m'aidez, je vais être capable de vivre ça.

Mes commentaires sur mes réactions et mes interventions

« Ce fut une relation d'aide difficile pour moi, car je me sentais directement concernée par la décision de ma fille, même si le choix lui revenait. J'étais ébranlée et émue, mais je pense lui avoir apporté le soutien dont elle avait besoin.

« Elle va poursuivre sa grossesse et elle occupera le trois-pièces au sous-sol. »

Précisions sur la procédure à suivre

Une fois qu'il a le rapport en mains, le formateur y inscrit ses observations à l'intention de l'aidant, après avoir vérifié les points suivants :

1. La situation de départ est-elle suffisamment bien campée ? (Ici, les informations sont suffisantes pour nous situer.)

2. Le diagnostic est-il bien formulé ? Dans la négative, le formateur peut proposer sa propre formulation. (Ici, la formulation est acceptable.)

3. Les interventions sont-elles bien identifiées ? Comme sur le plan du diagnostic, les aidants en formation font souvent des erreurs, ici, par exemple, en prenant des questions fermées pour des focalisations. (Dans notre illustration, les interventions sont bien identifiées... mais elles ont été revues par le correcteur !) Au besoin, on peut suggérer quelques interventions de son crû, en lieu et place de celles qui sont contenues dans le rapport.

4. Les commentaires portent-ils effectivement sur les réactions et les interventions de l'aidant, et ces commentaires sont-ils pertinents ? Il arrive souvent que ces commentaires ignorent les interventions de l'aidant, pour ne porter que sur le problème de l'aidé (comme c'est le cas dans le deuxième paragraphe de notre exemple.) Au besoin, le formateur peut ajouter ses propres commentaires ici.

5. (S'il y a lieu.) Le formateur a-t-il des éléments de réponse à offrir aux questions posées par l'aidant ?

6. Parvenu à cette étape, le formateur décide si ce rapport contient des points qui peuvent devenir matière à une supervision de groupe. Par exemple, il peut lire la *situation de départ* ainsi que l'essentiel des *réactions et interventions*, et demander aux participants :

   — s'ils sont d'accord avec le diagnostic formulé ou s'ils en auraient un autre à proposer ;

— d'identifier une intervention donnée qui figure dans le rapport (reflet, focalisation, etc.), d'en commenter la pertinence et, au besoin, d'en formuler une meilleure ;

— de s'exprimer sur les *commentaires* de l'auteur du rapport, ou encore de tenter de répondre aux questions que celui-ci se pose (par exemple : « Vous est-il déjà arrivé de devoir mener une relation d'aide délicate avec un de vos proches et, si oui, comment avez-vous vécu cela ? »).

Les participants sont informés dès le départ que leur rapport d'entrevue est susceptible de donner lieu à une supervision de groupe. S'ils le jugent nécessaire, ils peuvent toujours inscrire la mention *confidentiel* dans la marge supérieure. Dans ce cas, leur rapport sera annoté par le formateur, mais il ne sera pas commenté en groupe. Dans tous les cas, les participants sont avertis du caractère confidentiel de toute relation d'aide, et on leur demande de ne pas en parler en dehors des rencontres de formation.

Le formateur informe aussi les participants que si leur rapport d'entrevue n'est pas utilisé pour la supervision de groupe, cela ne signifie pas qu'il est de moins bonne qualité, mais simplement qu'il ne se prêtait pas à une telle démarche, vu les contraintes de temps.

Enfin, lorsqu'on remet la grille de supervision aux participants, on leur recommande de prendre connaissance de l'illustration présentée ci-dessus, de manière à bien comprendre la démarche qui leur est proposée.

Le nombre d'entrevues demandées aux participants varie selon la durée de la formation. Dans le cadre d'un cours de quarante-cinq heures, par exemple, je demande deux entrevues, et j'utilise les trois critères suivants pour l'évaluation :

— la qualité du diagnostic (en fonction des critères présentés au chapitre 7) ;

— la façon dont les interventions sont identifiées (reflet, focalisation, etc.) ;

— la pertinence des commentaires et des questions, s'il y a lieu.

UNE DÉMARCHE D'APPRENTISSAGE REMPLAÇANT LES *JEUX DE RÔLE*

Les jeux de rôle sont souvent utilisés dans la formation à la relation d'aide, mais ils présentent un inconvénient majeur. Typiquement, la personne qui *joue* le rôle de l'aidé *fait semblant* d'avoir un problème, par exemple un problème de drogue, ou un problème de communication avec un adolescent ou un parent.

Mais les gens ne sont pas tous des comédiens-nés, et cela complique la tâche du participant qui se trouve dans le rôle de l'aidant. Celui-ci doit en effet décoder des sentiments que son aidé essaie de jouer (colère, manque de motivation, inquiétude, etc.), et ce dernier essaie d'*improviser* des répliques vraisemblables aux interventions de l'aidant.

Les jeux de rôle sont parfois amusants, mais les performances des *joueurs* sont souvent inégales, ce qui réduit la valeur des apprentissages. Pour cette raison, j'utilise depuis de nombreuses années la formule suivante. Je demande au groupe si un participant accepte de se porter volontaire pour parler d'un problème qui le préoccupe vraiment avec un aidant qui est aussi volontaire. (Je précise qu'il n'est pas nécessaire que ce soit son plus gros problème !)

La consigne est la suivante. Disposer deux chaises face à face devant le groupe, puis faire abstraction du groupe et s'engager dans un accompagnement aidant-aidé. Les observateurs sont invités à noter les points qui les frappent, soit dans ce qui est exprimé par l'aidé, soit dans les interventions de l'aidant. Le formateur met un terme aux échanges après une dizaine de minutes, mais l'aidant ou l'aidé peuvent s'arrêter en tout temps dès qu'ils deviennent mal à l'aise dans la démarche.

Je ne me souviens pas qu'un aidé ait interrompu la démarche avant le temps fixé. En revanche, il arrive souvent que l'aidant atteigne un point où il se sent bloqué. Lorsque la situation s'y prête, je demande au groupe si quelqu'un veut intervenir de sa place dans le rôle de l'aidant, et cela permet parfois de faire redémarrer l'entrevue. Sinon, on passe à l'étape suivante.

Les participants disposent de quelques minutes pour préparer leurs réactions. Ils doivent notamment préparer leur formulation du problème de l'aidé (leur diagnostic), et formuler quelques observations par rapport aux différentes interventions de l'aidant.

Le formateur met au tableau cinq ou six diagnostics suggérés par les participants (en y ajoutant parfois le sien), puis le groupe tente de déterminer la formulation la plus adéquate, compte tenu des caractéristiques d'un bon diagnostic telles qu'elles ont été présentées au chapitre 7.

À cette étape, on peut demander à l'aidé de désigner la formulation dans laquelle il se retrouve le plus. Il y a parfois lieu de rappeler à ce moment que l'étape de la relation d'aide comme telle est terminée, car certains participants sont parfois portés à demander à l'aidé des précisions additionnelles sur son problème.

On passe ensuite aux observations sur les interventions de l'aidant. On désigne les reflets et les focalisations qu'il a utilisés... ou l'on formule ceux qu'il aurait pu utiliser ! On vérifie le rythme de l'entrevue (l'aidant est-il trop intervenu, s'est-il centré trop vite sur la solution, a-t-il été évaluatif, etc.). Au besoin, on demande à l'aidé comment il s'est senti, ce qui lui a facilité la tâche et ce qui lui a nui... On donne aussi la parole à l'aidant, pour lui permettre d'exprimer comment il a vécu la démarche.

La limite d'une dizaine de minutes peut sembler cruelle pour l'aidé qui est invité à s'ouvrir d'un problème pour se faire interrompre quelques minutes plus tard. Mais les participants qui se portent volontaires dans ce rôle sont invités à le faire en partie pour leur bénéfice personnel, mais en bonne partie aussi à titre de contribution aux apprentissages de leurs pairs.

Il faut ajouter ceci. Entre la fin de la brève entrevue et le moment où l'on aborde une autre activité, il se passe souvent quarante-cinq bonnes minutes, soit le temps pour les participants de préparer leur diagnostic et leurs commentaires, le temps pour le formateur d'inscrire les diagnostics et de les discuter avec le groupe, le temps de revenir sur les interventions de l'aidant...

EN CONCLUSION

Plusieurs aidés s'impliquent dans leur problème davantage qu'ils ne l'avaient prévu, et ils terminent alors la démarche en étant très habités par celui-ci. Lorsque cela se produit, il arrive souvent que l'aidé exprime après coup qu'il a apprécié la suite de la démarche, qui lui a permis d'intégrer cette expérience et de mieux s'approprier son problème. Plusieurs vont même jusqu'à donner des nouvelles au groupe, la semaine suivante, soit sur les prises de conscience qu'ils ont effectuées, ou sur les changements qu'ils ont notés dans leurs façons de faire...

Quant aux autres participants, ils disent souvent profiter des observations qu'on leur fait sur leur approche comme aidant, ou des occasions de développer leur habileté à poser un diagnostic, soit encore des clarifications que l'on apporte aux différents enjeux d'une véritable relation d'aide vécue sur le vif.

C'est pourquoi nous estimons que les deux démarches présentées ici constituent des outils précieux pour la formation des aidants.

ANNEXE A
Grille de correction

Votre réponse →

	Cas no 1	Cas no 2	Cas no 3	Cas no 4	Cas no 5	Cas no 6	Cas no 7	Cas no 8
Reflet-reformulation	1 + 9	1 + 9	8 + 9	7	1 + 9	6 + 9	8	6
Évaluation-contrôle	2	2	4	1	3	1	2	2 + 9
Recherche de solution	3	3	1	2	4	3	3	4
Focalisation	4	8	5	8	8	2	6	7
Soutien	5	4	7	4	5	4	7	8
Question fermée	6	7	2	6	6	5	4 + 9	5
Interprétation	7	5	6	3	7	7	5	3
Confrontation	8	6	3	5 + 9	2	8	1	1

ANNEXE B
Comparaison de trois typologies des interventions

IVEY et collègues (1987)	HILL (1992)	NOUS
Question ouverte	Question ouverte	Focalisation
Question fermée	Question fermée	Question fermée
Encouragement (exemple : « O.K. »)		Focalisation brève
Reflet	Reflet	Reflet
Reformulation	Reformulation	Reformulation
Résumé	Résumé	Résumé
Interprétation	Interprétation	Interprétation
Contrôle	Contrôle	Contrôle
Conseil	Conseil	Suggestion de solution
Information	Information	Information
Implication	Implication	Implication
Confrontation	Confrontation	Confrontation
	Silence	Silence
	Approbation	Certaines formes d'évaluation

RÉFÉRENCES BIBLIOGRAPHIQUES

BAUER, G. et J. KOBOS, 1987, *Brief Therapy, Short-Term Psychodynamic Intervention*, Northvale, New Jersey, Jason Aronson Inc.

BEAUDRY, M. et J.-M. BOISVERT, 1988, *Psychologie du couple*, Montréal, Éditions du Méridien.

BECK, C., 1963, *Philosophical Foundations of Guidance*, Englewood Cliffs, Prentice-Hall.

BLOOM, B., 1981, « Focused Single-Session Therapy: Initial Development and Evaluation », dans S. BUDMAN, dir., *Forms of Brief Therapy*, New York, Guilford Press, p. 167-218, cité par ROSENBAUM et collègues, 1990, p. 171.

BRAMMER, L. et E. SHOSTROM, 1968, *Therapeutic Psychology — Fundamentals of Actualization Counseling and Psychotherapy*, 2e édition, Englewood Cliffs, Prentice-Hall.

BUGENTAL, J., 1965, *The Search for Authenticity*, New York, Holt, Rinehart and Winston, cité par FISHER, 1990, p. 6-7.

CAPLAN, G., 1964, *Principles of Preventive Psychiatry*, New York, Basic Books.

CARKHUFF, R., 1983, *Sources of Human Productivity*, Amherst, Massachusetts, Human Resource Development, cité par D. KURPIUS, 1985, « Consultation Interventions: Successes, Failures and Proposals », *Counseling Psychologist*, vol. 13, n° 3, p. 370.

CARKHUFF, R. et B. BERENSON, 1967, *Beyond Counseling and Therapy*, New York, Holt, Rinehart and Winston.

CHAREST, J., 1989, « Les quatre ingrédients indispensables à la guérison thérapeutique », *Revue québécoise de psychologie*, vol. 10, n° 2, p. 2-29.

COMBS, A. et D. AVILA, 1985, *Helping Relationships, Basic Concepts for the Helping Professions*, 3e édition, Boston, Allyn and Bacon.

COREY, G., 1986, *Theory and Practice of Counseling and Psychotherapy*, 3e édition, Monterey, California, Brooks/Cole Publishing Co.

CRITS-CHRISTOPH, P., 1992, « The Efficacy of Brief-Dynamic Psychotherapy: A Meta-Analysis », *American Journal of Psychiatry*, vol. 149, n° 2, p. 151-157.

EGAN, G., 1976, *Interpersonal Living, A Skill-Contract Approach to Human-Relations Training in Groups*, Monterey, California, Brooks/Cole Publishing Co.

EGAN, G., 1982, *The Skilled Helper, Model, Skills, and Methods for Effective Helping*, 2e édition, Monterey, California, Brooks-Cole Publishing Co.

EWING, C., 1990, « Crisis Intervention as Brief Psychotherapy », dans WELLS et GIANETTI, 1990, p. 277-294.

FISHER, M., 1990, « The Shared Experience and Self-Disclosure », dans STRICKER et FISHER, 1990, p. 3-15.

GELSO, C. et B. FRETZ, 1991, *Counseling Psychology*, New York, Harcourt Brace.

GILLAND, B., R. JAMES et J. BOWMAN, 1989, *Theories and Strategies in Counseling and Psychotherapy*, 2ᵉ édition, Englewood Cliffs, Prentice-Hall, cités par FISHER, 1990, p. 14.

HILL, C., 1992, « Research on Therapist Techniques in Brief Individual Therapy: Implications for Practitioners », *The Counseling Psychologist*, vol. 20, nᵒ 4, p. 689-711.

IMBER, S., 1992, « Then and Now: Forty Years in Psychotherapy Research », *Clinical Psychology Review*, vol. 12, p. 199-204.

IVEY, A., M. BRADFORD IVEY et L. SIMEK-DOWNING, 1987, *Counseling and Psychotherapy, Integrating Skills, Theory, and Practice*, 2ᵉ édition, Englewood Cliffs, Prentice-Hall.

JACKSON, J., 1990, « The Role of Implicit Communication in Therapist Self-Disclosure », dans STRICKER et FISHER, 1990, p. 93-101.

JOURARD, S., 1971, *The Transparent Self*, 2ᵉ édition, New York, Van Nostrand.

JUNG, C., 1962, *L'homme à la recherche de son âme*, Paris, Payot.

JUSTES, E., 1985, « Women », dans R. WICKS, R. PARSONS et D. CAPPS, *Clinical Handbook of Pastoral Counseling*, New York, Paulist Press.

KENNEDY, E., 1980 (c. 1977), *On Becoming a Counselor*, New York, Continuum.

KENNEDY, E. et S. CHARLES, 1990, *On Becoming a Counselor*, 2ᵉ édition, New York, Continuum.

KINGET, M. et C. ROGERS, 1965 (c. 1959), *Psychothérapie et relations humaines*, vol. 2, 2ᵉ édition, Montréal, Institut de recherches psychologiques.

KOSS, M. et J. BUTCHER, 1986, « Research on Brief Psychotherapy », dans S. GARFIELD et A. BERGIN, dir., *Handbook of Psychotherapy and Behavior Change*, New York, Wiley, cités par STEENBARGER, 1992, p. 413.

LAPIERRE, H. et M. VALIQUETTE, 1984, « L'acting-out en psychothérapie, une histoire à suivre », *Psychologie Québec*, vol. 1, nᵒ 4.

LAPIERRE, H. et M. VALIQUETTE, 1989, *J'ai fait l'amour avec mon thérapeute*, Montréal, Éditions Saint-Martin.

LAPLANCHE, J. et J.-B. PONTALIS, 1973 (c. 1967), *The Language of Psycho-Analysis*, New York, Norton.

LECOMPTE, C. et P. GENDREAU, 1984, « Sexualité, intimité et relation d'aide », *Psychologie Québec*, vol. 1, nᵒ 4.

LOWEN, A., 1983 (c. 1981), *La peur de vivre*, Paris, EPI.

MASLOW, A., 1968, « Some Educational Implications of the Humanistic Psychologies », *Harvard Educational Review*, vol. 38, nᵒ 4.

MASLOW, A., 1976 (c. 1971), *The Farthest Reaches of Human Nature*, New York, Penguin Books.

MAY, R., E. ANGEL et H. ELLENBERGER, 1958, *Existence*, New York, Basic Books, cités par BRAMMER et SHOSTROM, 1968, p. 255.

MUCCHIELLI, R., 1980, *L'entretien de face à face dans la relation d'aide — Connaissance du problème*, 8ᵉ édition, Librairie Technique/Éditions Sociales Françaises.

O'HANLON, W., 1990, *Brief, Solution-Oriented Therapy*, document polycopié, First Annual Family Therapy Training Series, Blue Mountain Lake, New York, Syracuse University, cité par TUYN, 1992, p. 84.

O'HANLON, W. et M. WEINER-DAVIS, 1989, *In Search of Solutions: A New Direction in Psychotherapy*, New York, Norton, cités par TUYN, 1992, p. 85.

ROBBINS, S. et M. JOLKOVSKI, 1987, « Managing Countertransference Feelings: An Interactional Model Using Awareness of Feeling and Theoretical Framework », *Journal of Counseling Psychology*, vol. 34, n° 3, p. 276-282.

ROGERS, C., 1940 (1992), « The Process of Therapy », *Journal of Consulting and Clinical Psychology*, vol. 60, n° 2, p. 163-164.

ROGERS, C., 1970 (c. 1942), *La relation d'aide et la psychothérapie*, vol. 1, Paris, Les Éditions Sociales Françaises.

ROGERS, C., 1972 (c. 1961), *Le développement de la personne*, Paris, Dunod.

ROGERS, C. et R. SANFORD, 1985, « Client-Centered Psychotherapy », dans H. KAPLAN et B. SADOCK, *Comprehensive Textbook of Psychiatry*, 4ᵉ édition, Baltimore, Williams and Wilkins, p. 1374-1388.

ROSENBAUM, R., M. HOYT et M. TALMON, 1990, « The Challenge of Single-Session Therapies », dans WELLS et GIANETTI, 1990, p. 165-189.

RYDEN, M. et collègues, 1991, « A Behavioral Comparison of the Helping Styles of Nursing Students, Psychotherapists, Crisis Interveners, and Untrained Individuals », *Archives of Psychiatric Nursing*, vol. 5, n° 3, p. 185-188.

SAFRAN, J. et L. GREENBERG, 1991, « Emotions in Human Functioning: Theory and Therapeutic Implications », dans J. SAFRAN et L. GREENBERG, dir., *Emotion, Psychotherapy, and Change*, New York, The Guilford Press, p. 3-15.

SAINT-ARNAUD, Y., 1979a, *La dynamique expert-facilitateur dans la relation d'aide individuelle*, document polycopié.

SAINT-ARNAUD, Y., 1979b, *La dynamique expert-facilitateur et le rôle de consultant*, document polycopié.

SIMON, J., 1990, « Criteria for Therapist Self-Disclosure », dans STRICKER et FISHER, 1990, p. 207-225.

SLAIKEU, K., 1990, *Crisis Intervention, A Handbook for Practice and Research*, 2ᵉ édition, Boston, Allyn and Bacon.

STEENBARGER, B., 1992, « Toward Science-Practice Integration in Brief Counseling and Therapy », *The Counseling Psychologist*, vol. 20, n° 3, p. 403-450.

STEIN, R., 1990, *Ethical Issues in Counseling*, New York, Prometheus Books.

STRICKER, G., 1990, « Self-Disclosure and Psychotherapy », dans STRICKER et FISHER, 1990, p. 277-289.

STRICKER, G. et M. FISHER, dir., 1990, *Self-Disclosure in the Therapeutic Relationship*, New York, Plenum Press.

THOMAS, M., 1990, *Counseling and Life-Span Development*, Newbury Park, Sage Publications.

TRUAX, C. et R. CARKHUFF, 1967, *Toward Effective Counseling and Psychotherapy: Training and Practice*, Chicago, Aldine.

TUYN, L., 1992, « Solution-Oriented Therapy and Rogerian Nursing Science: An Integrated Approach », *Archives of Psychiatric Nursing*, vol. 6, n° 2, p. 83-89.

WATKINS, E. et collègues, 1990, « Effects of Counselor Response Behavior on Clients' Impressions During Vocational Couseling », *Journal of Counseling Psychology*, vol. 37, n° 2, p. 138-142.

WELLS, R. et V. GIANETTI, dir., 1990, *Handbook of the Brief Psychotherapies*, New York, Plenum Press.

WILLIAMS, C., 1990, « Biopsychosocial Elements of Empathy: A Multidimensional Model », *Issues in Mental Health Nursing*, n° 11, p. 155-174.

WOODY, R. et collègues, 1989, *Counseling Psychology, Strategies and Services*, Pacific Grove, California, Brooks/Cole Publishing Co.

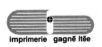

imprimerie gagné ltée

IMPRIMÉ AU CANADA